IGCSE 0523

剑桥大学国际考试中文第二语言

写作与口语训练

Writing and Speaking Skills

冯薇薇　齐媛　编著

前言

语言能力包括听、说、读、写四大项，其中听和读属于接受技能，说和写属于表达技能。无论书面还是口头表达能力都是指用恰当的语言来表达自己的思想、情感，以达到与人交流的目的。相对于接受技能，表达技能对中文作为第二语言的学习者来说就显得更有挑战性，因为学习者必须拥有足够的词汇量，经过大脑思考，运用流畅的句子和正确的中文惯用语法，最终达成有条理地表达个人观点的目的。

在多年教授中文作为第二语言（简称“二语”）的教学实践中，笔者发现 IGCSE“二语”的学生对于如何写好大纲规定的作文，特别是议论性文章感到困惑。另外，在准备口语考试的过程中也遇到了无法掌握有关话题的问答内容等难题。本书的编写目的就是针对以上难点进行解惑。

本书共分为三章内容：

第一章简单介绍了 IGCSE 中文作为第二语言（0523）课程，以帮助学生明确 2018 年新大纲的考试要求；给出了常用的文体格式、语言点、关联词及疑问表达，以帮助学生做足写作考试和口语考试的语言储备。

第二章从大纲规定的四大主题出发，对主题下的话题展开提示性作文和议论性作文的写作训练。除了训练题目外，本书列出了相应的答题技巧，并提供了高分范文，让学生了解什么样的作文才真正符合“二语”的写作要求；根据一些具有典型错误的作文例子和评分标准进行分析说明，让学生明白作文的缺陷在哪儿，从而知道如何提高自己的写作水平。每个主题设有“练习题库”和“主题高频词”板块，希望学生在掌握高分范文的精髓后可以自主练习，逐渐提高写作水平。

第三章是口语训练部分，此部分亦从大纲规定的四大主题出发，列举了个人口述的文本实例，并附有追加问题，在一般对话部分提供了丰富的问答练习题，以便学生更清晰地了解口语考试的模式，从而依照大纲要求做好完善的准备。

希望这本书可以给老师和学生一个更清晰的指导，有效地帮助学生提高写作和口语水平，让学生更有自信地去参加 IGCSE 0523 考试。

Preface

Language ability includes listening, speaking, reading and writing. Among them, listening and reading are all receptive skills, while speaking and writing are productive skills. Both written and verbal communication skills mean expressing your thoughts and feelings with proper language expressions to achieve the purpose of communicating with others. Compared with receptive skills, productive skills are more challenging for learners who speak Chinese as a second language. Learners must have sufficient vocabulary, correct sentence structures and Chinese grammars.

When teaching Chinese as a second language (IGCSE 0523), we found that the students of Chinese as a second language were confused about how to write the essays, especially the argumentative essays. Apart from the writing exam, students also found the oral exam challenging. They feel that it is very difficult to prepare for the question and answer part in the speaking exam. The purpose of this book is to solve the difficulties above.

The book is divided into three chapters:

Chapter 1 briefly introduces the Chinese as a second language (0523) course to help students know about the exam requirements for the new 2018 syllabus which has the first exam in 2020. This chapter also includes the basic text formats, language points, conjunction words and question words to help students well prepare for their writing and speaking exams.

Chapter 2 aims to improve writing skills on short essays with instruction bullet points and long argumentative essays based on the four themes. Apart from the model well-written essays, the book also includes suggestions on how to respond to the questions. The purpose is to let students know what kind of essays can meet the writing requirements of the course syllabus. For helping students know about the typical mistakes that appear in the essays and how to avoid the similar mistakes in their own writing, the book includes some examples of essays with typical mistakes and marking scheme. At the end of each theme, there are "question bank" and "the most frequently used words on the theme". Students can practice writing according to the questions. "Practice makes perfect". More practice will make students' writing skills improve.

Chapter 3 focuses on the oral exam. This chapter is also based on the four themes specified in the course outline. For students to have a clearer understanding of the oral exam mode, the book gives a full transcript sample of the oral exam including part 1 "presentation", part 2 "follow-up questions and answers" and part 3 "general questions and answers". Apart from this, the book also has plenty of model transcript texts on different themes as well as a "question list" so that students can well prepare for their oral exam.

We hope this book can give teachers and students a clearer guidance on how to improve students' writing and speaking skills to meet the requirements of IGCSE 0523 course syllabus.

使用说明

老师怎样使用本书

针对写作部分，老师可以：

1. 让学生熟记常用文体格式，为写作做好第一步准备。
2. 利用答题技巧部分向学生示范分析、解构题目的步骤。
3. 指导学生巧用思维导图了解范文的内容和结构，鼓励学生在写作前画思维导图组织内容，以确保写作时思路清晰。
4. 带领学生阅读高分范文，让学生从中学习结构安排、语言运用等写作技巧，并将阅读之所得转化成自己的写作素材。
5. 和学生一起分析典型错误并阅读老师评语，也可以引导学生提出其他改进的建议，让学生避免在写作时出现同类错误。
6. 鼓励学生利用自我评估表了解自己在写作过程中的强项和不足，从而有针对性地提高写作成绩。
7. 在教授不同主题时，带领学生利用练习题库中的作文话题进行练笔；指导学生在写作的过程中参考主题高频词、常用语言点和常用关联词，从而让学生有意识地提高语言运用能力。

针对口语部分，老师可以：

1. 带领学生阅读考试概要、注意事项及口语考试的文本参考，以便让学生熟悉口语考试的流程。
2. 让学生参考不同话题的个人口述文本和思维导图，为选择合适的个人口述话题获得更广泛的思路。
3. 以个人口述文本后的追加问题作为示范，引导学生为话题讨论部分准备更多的相关内容。
4. 让学生熟记常用疑问表达，为口语考试的交流部分做好准备。
5. 鼓励学生利用各主题的练习题库，根据自己的需要回答问题，为口语考试做充足的准备。

学生怎样使用本书

针对写作部分，学生可以：

1. 熟记常用文体格式，为写作做好第一步准备。
2. 利用答题技巧部分了解并逐渐熟悉分析、解构题目的步骤。
3. 巧用思维导图了解范文的内容和结构，尝试在写作前自己画思维导图组织内容，以确保写作时思路清晰。
4. 阅读高分范文，从中学习结构安排、语言运用等写作技巧，并将阅读之所得转化成自己的写作素材。
5. 分析典型错误并阅读老师评语，在内容、结构和文体格式上和自己的作文进行比较，避免写作时出现同类错误。
6. 利用自我评估表反思自己在写作过程中的强项和不足，从而有针对性地提高写作成绩。
7. 利用练习题库中的作文话题进行练笔；在写作的过程中参考主题高频词、常用语言点和常用关联词，从而有意识地提高语言运用能力。

针对口语部分，学生可以：

1. 仔细阅读口语考试概要、注意事项及口语考试的文本参考，熟悉口语考试的流程。
2. 阅读不同话题的个人口述文本和思维导图，扩宽思路，准备好个人口述稿。
3. 参考个人口述文本后的追加问题，为话题讨论准备更多的相关内容。
4. 熟记常用疑问表达，为口语考试的交流部分做好准备。
5. 利用各主题的练习题库根据自己的需要回答问题，为口语考试做充足的准备。

How to Use This Book

For Teachers

On Writing Skills:

1. Help students to be familiar with the basic text formats required for the course.
2. Demonstrate steps to understand and analyze the questions with the use of the "answering techniques".
3. Guide students to understand the content and structure of model essays through using the mind-maps. Encourage students to draw mind-maps in order to ensure a clear thinking when writing.
4. Analyze model essays with students for improving their capabilities of organizing the structures of the essay and using the correct words and expression terms.
5. Analyze the typical mistakes in the samples, read through "teachers's comments" with students, and encourage them to give possible suggestions for improvement, so as to avoid similar errors when writing.
6. Encourage students to use the self-evaluation form to have a better understanding of the strengths and weaknesses of their own essays, so as to improve writing abilities with a clear focus.
7. Encourage students to practice writing based on the questions in the "question bank". The most frequently used words, basic sentence structures, grammar and conjunction words listed in the book are also helpful for students to improve their writing skills.

On Speaking Skills:

1. Go through the course outlines in on oral exams with students and get students familiar with the exam procedure.
2. Encourage students to refer to the individual oral presentation texts on each topic to gain a wider range of ideas for a better preparation to their speaking presentation.
3. Encourage students to practice follow-up Q & A listed at the end of the speaking script text for a better preparation for the part 2 of the oral exam.
4. Encourage students to be more familiar with the basic question-words for a better understanding of the questions raised by the teacher.
5. Encourage students to practice general Q & A for a better preparation for the part 3 of the oral exam.

For Students

On Writing Skills:

1. Get familiar with the basic text formats required for the course.
2. Learn steps to understand and analyze the questions with the use of the "answering techniques".
3. Understand the content and structure of model essays through using the mind-maps. Draw mind-maps to plan ideas in order to ensure a clear thinking when writing.
4. Read model essays for improving the ability of understanding the questions, organizing the structures of the essay and using the correct words and expression terms.
5. Analyze the typical mistakes in the samples and read through teacher's comments, and then compare them with your essays to find out the differences between the two in terms of content, language, format, etc., so as to avoid similar errors when writing.
6. Refer to the self-evaluation form for reflection of strengths and weaknesses on your own essays, so as to improve writing abilities with a clear focus.
7. Practice writing based on the questions in the "question bank". The most frequently used words, basic sentence structures, grammar and conjunction words listed in the book are also helpful to improve your writing skills.

On Speaking Skills:

1. Go through the course outlines on oral exams and get familiar with the exam procedure.
2. Refer to the individual oral presentation texts on each topic to gain a wider range of ideas for a better preparation for the speaking presentation.
3. Practice follow-up Q & A listed at the end of the speaking script text for a better preparation for the part 2 of the oral exam.
4. Get more familiar with the basic question-words for a better understanding of the questions raised by the teacher.
5. Practice general Q & A listed in the Chapter 3 for a better preparation for the part 3 of the oral exam.

目录

第一章 训前准备

第一节　课程介绍

第二节　语言储备

第一节 课程介绍

IGCSE 汉语考试是由英国剑桥国际考试局研发，主要面向 14 到 16 岁的汉语学习者的语言测试。IGCSE 中文课程分为以下三个级别：中文作为第一语言（0509）、中文作为第二语言（0523）和中文作为外语（0547）。其中，剑桥 IGCSE 中文作为第二语言（0523）课程的难度介于"中文作为第一语言"和"中文作为外语"这两个等级之间，是为那些已经具备基础语言知识，并且希望巩固、发展语言技能的学习者而设计的。通过学习，学习者可以扩大中文词汇量，同时更深入地了解中文的各种表达方式，并学会在不同情况下适当地进行交流。

IGCSE 汉语作为第二语言（0523）的课程大纲侧重于阅读、写作、听力和口语交际这四个方面语言技能的培养。通过对 IGCSE 汉语作为第二语言（0523）的学习，学习者可以达到日常的沟通水平，为进一步学习中文打下坚实的基础。

IGCSE 汉语作为第二语言（0523）在测试方面分为听、说、读、写四大项。在考试题型方面有如下特点：

听力方面：以选择题为主、问答题为辅，选材侧重校园生活话题；

口语方面：互动性强，重视对校园生活话题的考查；

阅读方面：选择题和问答题并重，选材具有国际视野，侧重校园生活和有关中国文化的话题；

写作方面：重视中文写作的考查，侧重与年轻人生活息息相关的话题。

自 2018 年起，IGCSE 中文作为第二语言（0523）开始实行新大纲的教学，根据新大纲要求所进行的首次考试将于 2020 年举行。以下为新旧大纲的对比表：

新旧大纲对比表

	旧大纲（最后一次考试为 2019 年）	新大纲（首次考试为 2020 年）
卷一	**阅读和写作** 时间：2 小时 总分：70 分（占总成绩的 70%）	**阅读和写作** 时间：2 小时 总分：60 分（占总成绩的 60%）
	第一部分：阅读（30 分） 三篇阅读练习 文章一：根据内容做判断对错、选择或连线等（8 分） 文章二：根据内容填充信息（10 分） 文章三：根据内容做简短回应（12 分）	**第一部分：阅读（30 分）** 三篇阅读练习 文章一：根据内容填充信息（8 分） 文章二：根据内容做简短回应（12 分） 文章三：根据内容选择正确的答案（10 分）
	第二部分：写作（40 分） 两篇作文练习 一、提示性作文（15 分） 根据提示写一封私人信件。 字数要求：100-120 字 内容：9 分 语言：6 分	**第二部分：写作（30 分）** 两篇作文练习 一、提示性作文（8 分） 根据提示写一篇实用性的短文，例如：电子邮件。 字数要求：100-120 字 内容：3 分 语言：5 分
	二、议论性作文（25 分） 根据文字提示写一篇议论性作文。提示信息通常包括两个支持的观点和两个反对的观点。 字数要求：250-300 字 内容：15 分 语言：10 分	二、议论性作文（22 分） 根据文字提示写一篇议论性作文。提示信息通常包括一个支持的观点和一个反对的观点。 字数要求：250-300 字 内容：10 分 语言：12 分

新旧大纲对比表		
	旧大纲（最后一次考试为2019年）	**新大纲（首次考试为2020年）**
卷二	**口语** 时间：10–13分钟 总分：60分（占总成绩的30%） **第一部分：自选话题个人口述（20分）** 考生自选话题进行2分钟个人口述。 **第二部分：话题讨论（20分）** 老师针对考生的个人口述提出一些追加问题，与考生进行4–5分钟的话题讨论。 **第三部分：一般对话（20分）** 老师与考生进行4–5分钟的对话。对话至少包括大纲规定的两个主题：主题一或二选其一；主题三或四选其一。考生不会事先知道话题的内容，但这部分不会与考生的自选话题重复。	**听力** 时间：35–45分钟 总分：30分（占总成绩的20%） 共四个听力练习，每个练习有一段录音，每段录音播放两次。 **练习一：短答题（6分）** 考生听完一系列简短的录音后，根据录音内容回答六道短答题。 **练习二：填空题（8分）** 考生听完一段较长的录音后，根据录音内容完成填空。 **练习三：改正信息（8分）** 考生听完一段较长的录音后，根据录音内容改正题目中错误的信息。 **练习四：选择题（8分）** 考生听完一段讨论后，根据录音内容选择正确的答案。

新旧大纲对比表		
	旧大纲（最后一次考试为2019年）	新大纲（首次考试为2020年）
卷三	无	**口语** 时间：10–13分钟 总分：60分（占总成绩的20%） **第一部分：自选话题个人口述（20分）** 考生自选话题进行2–3分钟个人口述。 **第二部分：话题讨论（20分）** 老师针对考生的个人口述提出一些追加问题，与考生进行4–5分钟的话题讨论。 **第三部分：一般对话（20分）** 老师与考生进行4–5分钟的对话。对话至少包括大纲规定的两个主题：主题一或二选其一；主题三或四选其一。考生不会事先知道话题的内容，但这部分不会与考生的自选话题重复。

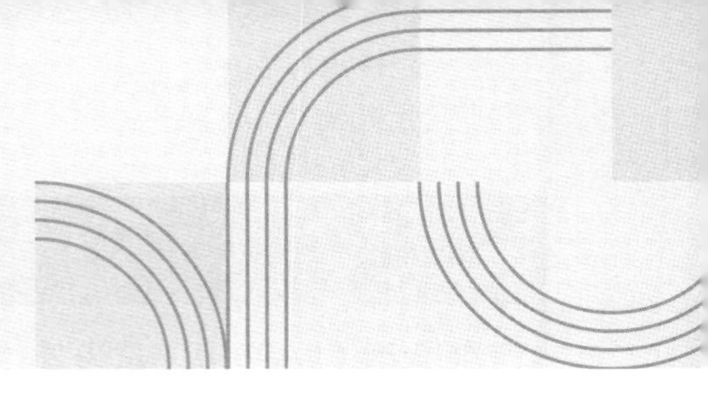

第二节　语言储备

常用文体格式

私人信件

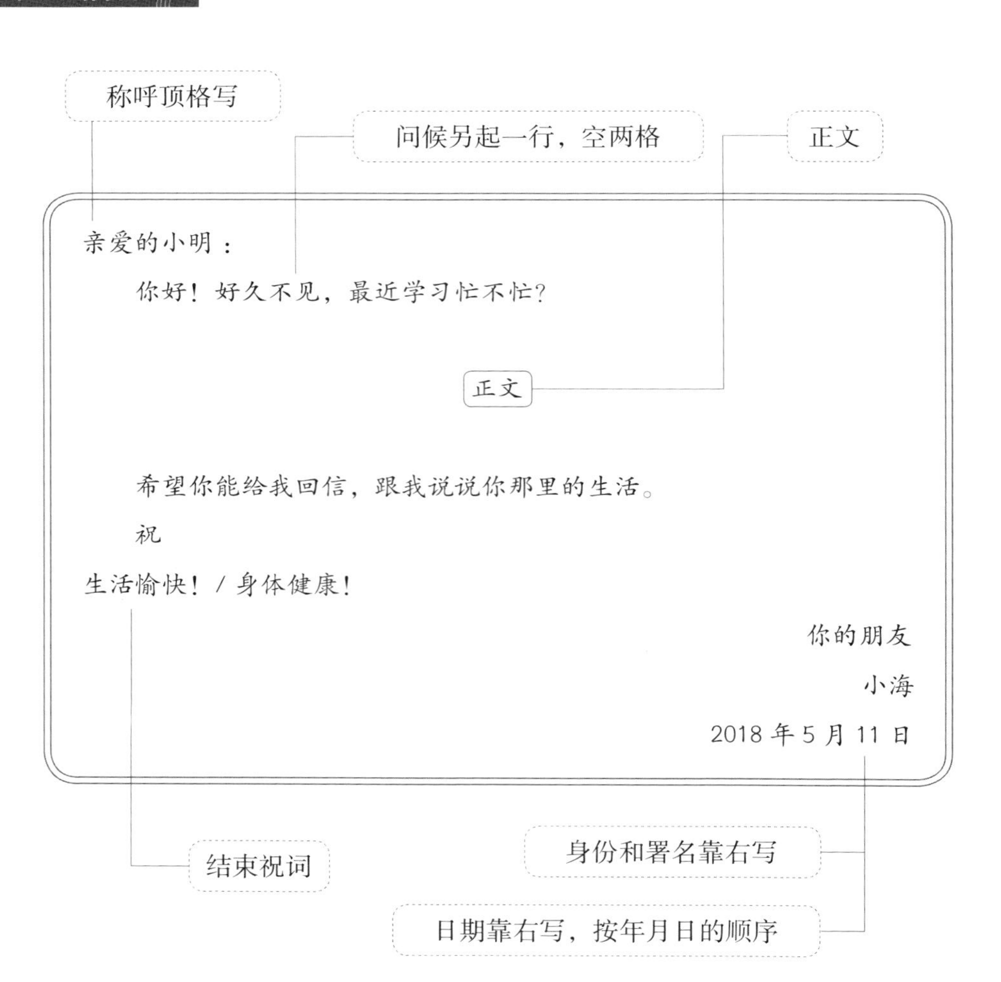

正式文体信件

称呼顶格写

问候另起一行，空两格

正文

尊敬的王校长：

　　您好！我是十一年级的王越。我写这封信给您是想谈一谈……

正文

　　希望您可以……

　　此致

敬礼！

您的学生

王越

2018 年 5 月 20 日

结束祝词

身份和署名靠右写

日期靠右写，按年月日的顺序

电子邮件（私人邮件）

发件人姓名 / 发件人电邮地址

主题

收件人姓名 / 收件人电邮地址

日期按年月日的顺序

发件人：张大明 /daming@mymail.com

收件人：黄海 /hai@mymail.com

主题：我的生日会

日期：2018 年 6 月 10 日

亲爱的小海：

　　你好！今天我想和你说一说我的生日会。

正文

　　希望你有时间能给我回信。

　　祝你生活愉快！

大明

称呼顶格写

问候另起一行，空两格

正文

结束祝词

署名靠左写

电子邮件（正式文体邮件）

发件人姓名 / 发件人电邮地址

主题

收件人姓名 / 收件人电邮地址

日期按年月日的顺序

发件人：陈莎莎 /shasha@mymail.com

收件人：李校长 /li@mymail.com

主题：北京游学团

日期：2018 年 9 月 1 日

尊敬的的李校长：

　　您好！我是十年级的陈莎莎。我想和您分享这次北京游学团的经历。

正文

　　希望学校明年还会举办这样的活动。

　　祝您工作顺利！

学生：陈莎莎

称呼顶格写

问候另起一行，空两格

正文

结束祝词

身份和署名靠左写

日记

日期靠左写，X 年 X 月 X 日 星期 X / X 月 X 日 星期 X

天气状况靠右写，天气：阴 / 晴 / 下雨……

2018 年 2 月 26 日　星期一　　天气：晴

今天放学以后，我和朋友莉莉一起去了历史博物馆……

正文

时间不早了，我要去睡觉了。

文中一定要写“今天”和“我”

正文

演讲稿

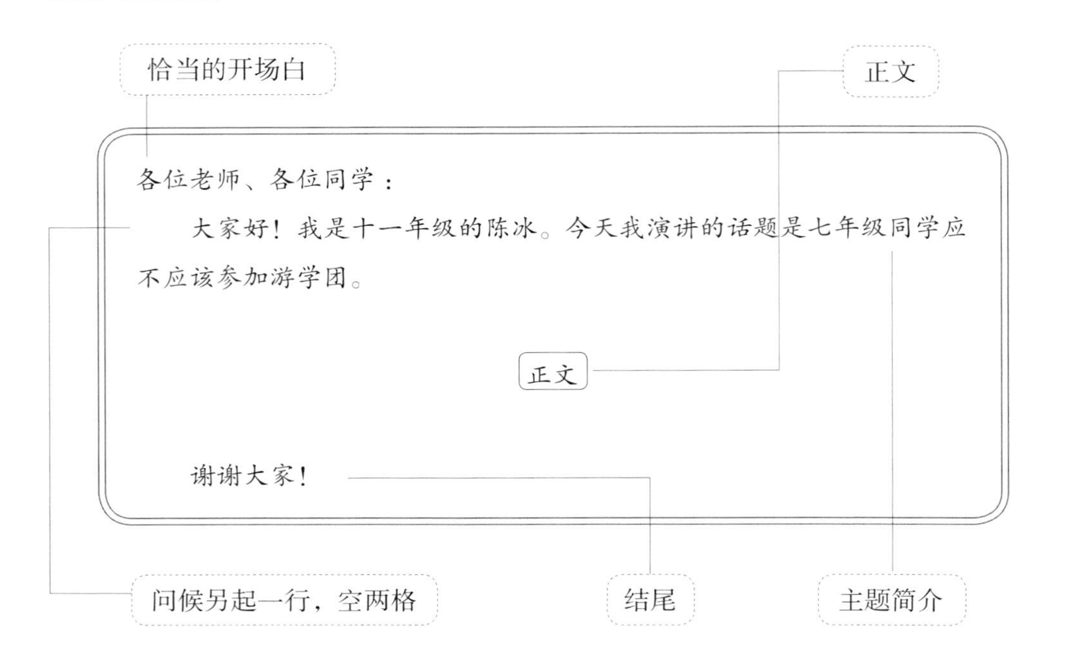

辩论稿

称呼顶格写

问候另起一行，空两格

正文

老师们、对方辩友们：

大家好！今天的辩题是学生应不应该使用电子课本。我是正方代表，我方坚决支持学生使用电子课本。

正文

综上所述，学生使用电子课本有很多好处。因此，我方认为学生应该使用电子课本。

谢谢大家！

主题简介，要明确说明自己一方的立场

结尾

博客（博文、部落格）

报刊文章

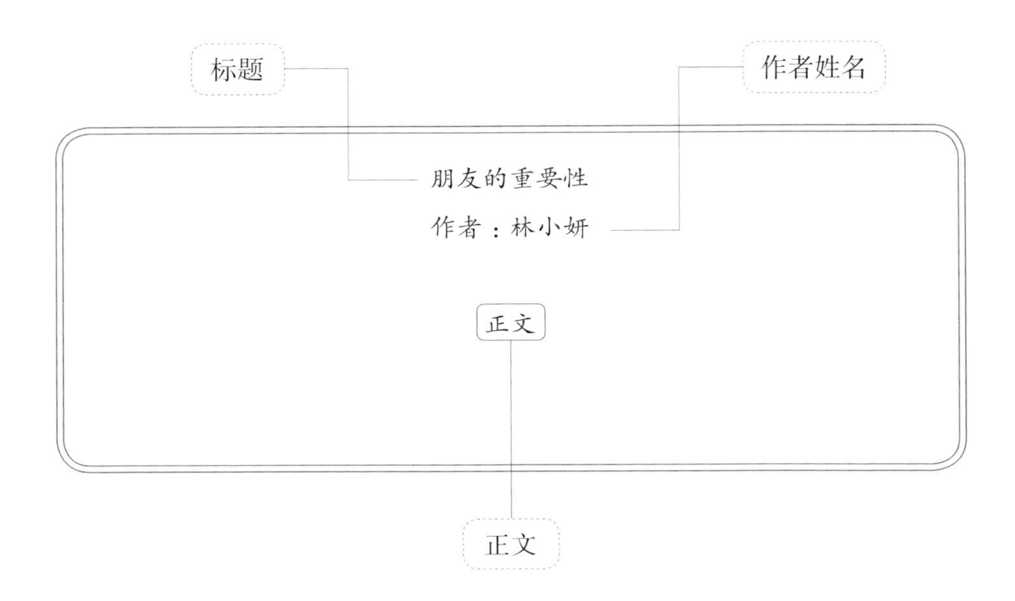

便条

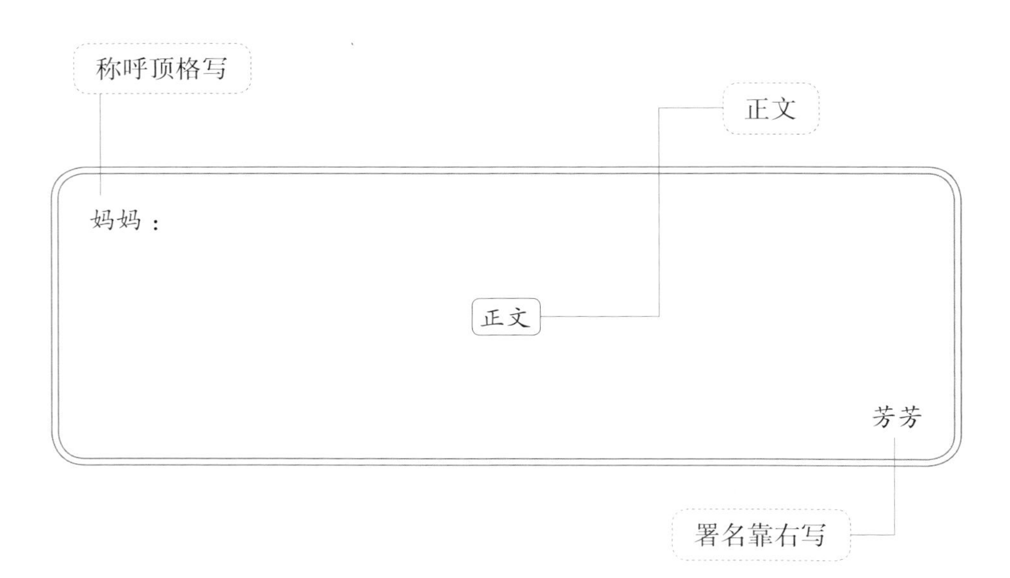

常用语言点

基本句型

类型一：S + V + O

例子：我学中文。

扩展

1. S + Time + V + O

例子：我每天晚上七点学中文。

2. S + 在 Place + V + O

例子：我在学校学中文。

3. S + Time + 在 Place + V + O

例子：我星期六下午四点半在家学中文。

类型二：S + Adj.

例子：我的中文很好。

类型三：S + V + O + V + 得 + Adj.

例子：我打球打得很棒。

她唱歌唱得不太好。

他跑步跑得非常快。

结构助词“的”“地”“得”

的 + 名词

例子：这是我的学校。

地 + 动词

例子：我快乐地学中文。

得 + 形容词

例子：我跳得高高的。

动态助词“着”“了”“过”

着：V + 着，表示动作正在进行。

例子：他在教室里上着中文课。

了：V + 了，表示动作已经完成。

例子：我去年去了中国。

过：V + 过，表示动作曾经发生。

例子：我去过很多国家。

“把”字句

S + 把 + O + V + 其他成分

例子：我把这本书看完了。

年、月、日的表达

中文的习惯表达顺序是“X 年 X 月 X 日”

例子：2015 年 3 月 18 日

时间词

前年、去年、今年、明年、后年

上个月、这个月、下个月

前天、昨天、今天、明天、后天

上个星期、这个星期、下个星期

星期一、星期二、星期三、星期四、星期五、星期六、星期日（星期天）

地址书写顺序

由大到小依次书写“国家 + 城市 + 区 + 街道 + 单位”

例子：中国北京市西城区教场胡同 4 号北京四中

常用关联词

并列句

关联词	例句
又……又……	妈妈又要工作又要照顾我们的生活，我们应该多体谅她。
既……又……	青少年去国外留学既能开阔视野，又能培养独立生活的能力。
一边……一边……	很多学生喜欢一边听音乐一边做作业。
是……也是……	香港是美食天堂，也是购物天堂。
不是……而是……	这次取得比赛的胜利不是我个人的努力，而是团队协作的结果。

顺承句

关联词	例句
……接着……	我们先参观了故宫，接着又去了颐和园。
……就……	明明一回到家就开始玩儿电脑游戏。
……于是……	我刚出门就下雨了，于是我跑回家拿伞。
……又……	他刚关掉电脑又拿起了手机。

递进句

关联词	例句
不但……而且……	参加义工服务不但能帮助有需要的人，而且能提高自己的社会交流能力。
不仅……还……	旅行不仅能让我们放松身心，还能让我们结识更多朋友。

……更……	这本书让我了解了乔布斯的生平，更激励我去追寻自己的理想。
……还……	学中文让我掌握了一门语言，还了解了中国的历史文化。
……甚至……	很多青少年是“低头族”，他们甚至过马路的时候都在看手机。

选择句

关联词	例句
不是……就是……	在暑假里，我不是去旅行就是在家看电视。
或者……或者……	为了完成小组报告，同学们或者和组员讨论，或者上网查找资料。
是……还是……	这次考试成绩不理想，是你不够细心还是没有复习？
要么……要么……	哥哥在找你，你要么给他打个电话，要么给他发条信息。
宁可……也不……	他宁可住在市中心狭小的公寓里也不愿搬去郊区。
宁愿……也不……	他宁愿在家休息也不想出去逛街。
与其……不如……	与其玩儿手机游戏不如去图书馆看一会儿书。

转折句

关联词	例句
虽然……但是……	虽然快餐很方便，但是经常吃对我们的健康没好处。
尽管……可是……	尽管天气很热，可是为了节约能源我们只开风扇。
……然而……	我和杰克约好下午一起去踢足球，然而他没出现。
……却……	已经很晚了，弟弟却还不睡觉。

因果句

关联词	例句
因为……所以……	因为过年能收到压岁钱，所以很多小孩子喜欢过年。
由于……所以……	由于小红今天生病了，所以不能来学校上课了。
……因而……	城市里的车辆越来越多，因而空气污染问题也越来越严重。
……因此……	他的成绩每次都名列前茅，因此被推荐为市级三好学生。
既然……就……	既然你有空就一起去看电影吧。
之所以…… 是因为……	社交网站之所以那么受欢迎是因为青少年的生活比较空虚。

假设句

关联词	例句
如果……就……	如果今天下雨，足球比赛就取消了。
即使……也……	即使生活再艰苦他也不会告诉家人。

条件句

关联词	例句
只要……就……	只要有决心就一定能成功。
无论……都 / 也……	无论多晚回家，她都 / 也会给妈妈打电话。
不管……都 / 也	不管晴天还是下雨，我都 / 也要去医院看望奶奶。
不论……都 / 也	不论你说什么，我都 / 也不会放弃学游泳的。
只有……才……	人只有不断努力才能取得成功。
凡是……都……	凡是不好的习惯我们都应该改掉。
除非……才……	除非你用功学习才能考上理想的大学。

常用疑问表达

有关事物、时间、处所和数量的问句

疑问词	询问重点及答案	例句
谁 who	人物	大卫是谁?
什么 what	东西	你的桌子上有什么?
什么时候 when	日期、时间	她什么时候上课?
什么地方 where	地方	你们现在在什么地方?
做什么 do what	活动	他明天做什么?
哪儿 where	地方	你在哪儿学中文?
哪里 where	地方	咱们明天在哪里吃饭?
哪一个 which one	这个、那个	哪一个是你的?
哪个人 which person	人物	你认识的是哪个人?
哪个国家 which country	国家名称	你在哪个国家出生的?
哪种语言 which language	语言名称	你会说哪种语言?
几 how many	数量	这孩子会从一数到几?
几点 what time	数量	现在几点?
几岁 how old	数量	你今年几岁?
几个人 how many people	数量	他们班有几个人?
几口人 how many people	数量	你们家有几口人?
几块钱 how much	数量	你带了几块钱?
多少 how many	数量	你们班有多少人?
多少钱 how much money	数量	这块蛋糕多少钱?
多少年 how many years	数量	你学中文学了多少年?
多久 how long time	数量	小红在这儿多久了?
多长时间 how long time	数量	妈妈等了多长时间了?

有关方式的问句

疑问词	询问重点及答案	例句
怎么了 what happened	具体方式	他怎么了？
怎么走 how to get to a place	坐公共交通工具、方向	去他家怎么走？
怎么做 how to do	具体方式	这道题目怎么做？
怎么写 how to write	具体方式	这个字怎么写？
怎么样 how about	形容词	你唱歌唱得怎么样？
如何 how	形容词	你觉得如何？
为什么 why	原因	她为什么要学法语？

选择问句

疑问词	询问重点及答案	例句
是不是 yes or not	是 / 不是	那个人是不是学生？
有没有 have or not	有 / 没有	你今天有没有中文课？
喜欢不喜欢 like or not	喜欢 / 不喜欢	你喜欢不喜欢学数学？
A 还是 B　A or B	A / B	你想吃中餐还是西餐？
是否 yes or no	是 / 不是	你是否同意他的观点？

句尾疑问词

疑问词	询问重点及答案	例句
吗	根据实际情况回答，去掉“吗？”	你喜欢打篮球吗？
呢	根据实际情况回答，去掉“你呢？”	我学过日文，你呢？

第二章 写作训练

第一节　写作考试概要

第二节　提示性作文

第三节　议论性作文

第四节　典型错误分析

第一节　写作考试概要

写作试卷的内容

第一部分：提示性作文

考生需要写一篇实用性的短文，例如：电子邮件。题目会说明短文的写作目的、格式和受众，也会给出简短的文字提示和/或图片提示。字数要求：100-120字。总分8分。

第二部分：议论性作文

考生需要写一篇长文，通常是议论性的文章。题目会说明长文的写作目的、格式和受众，也会给出简短的文字提示。字数要求：250-300字。总分22分。

评分标准

写作试卷满分为30分，主要考察学生以下五个方面的能力：

1. 清晰、准确、有效地传达信息或思想观点。
2. 使用一定范围的连接词把信息或思想观点组织成连贯的段落。
3. 准确、有效地使用一定范围的语法结构和词语。
4. 使用正确的标点符号，文字书写准确。
5. 根据目的和受众使用适当的语体和风格/格式。

提示性作文

提示性作文又称“短文”，针对以下两项进行评分：

1. 内容：3分
2. 语言：5分

内容	语言 风格和准确度
1–3 分	5 分
题目中给出三个提示性问题。内容每涵盖一个问题得 1 分，最多得 3 分。	使用范围广泛的语言，有效地使用复杂句结构。 语言准确度高，对语言的掌握非常好 。 风格和语体从始至终都是恰当的。段落结构非常清晰，层次分明。
0 分	4 分
没有任何可供评分的内容。	恰当地使用一定范围的语言结构，尝试使用较难的语言。 大部分的语言是准确的，错误之处不会影响意思表达。 风格和语体恰当。段落结构比较清晰，使用一些关联词。
	3 分
	主要使用简单的句子结构和词语，有时尝试使用较难的语言。 较好地使用简单的句子结构。尝试使用较难的语言时有不准确之处，但意思表达大致清楚。 风格和语体比较恰当，尝试使用段落组织内容。
	2 分
	使用简单的句子结构和词语。 对语言的掌握有限，有时意思表达模糊不清。 风格和语体可能前后不一致或不恰当。有限地使用或没有使用段落。
	1 分
	使用非常简单的句子结构和词语。 没有掌握简单的句子结构，大部分的意思表达难以理解。 风格和语体不恰当。没有分段。
	0 分
	没有任何可供评分的内容。

议论性作文

议论性作文又称“长文”，针对以下两方面进行评分：

1. 内容：10 分

2. 语言：12 分

	内容 相关性和思想观点的展开	语言 风格和准确度
	8–10 分	10–12 分
程度四	完成写作任务：综合考虑交际情景、写作目的和读者，并且全篇贯穿如一。 思想观点的展开清晰有效并且比较充分。有效地组织、连接内容。 风格和语体从始至终都是恰当的。段落结构非常清晰，层次分明。	有效地使用一定范围的语言，包括复杂的句子结构和不常见的词语和措辞。 语言准确度高，对语言的掌握从始至终都非常好。 错误只出现于使用不常见的词语和句子结构时。
	5–7 分	7–9 分
程度三	完成写作任务：综合考虑交际情景、写作目的和读者。 思想观点较充分地展开。比较好地组织、连接内容。 风格和语体恰当。段落结构比较清晰，使用一些关联词。	大致恰当地使用一定范围的句子结构、词语和措辞。 大部分的语言是准确的，对语言的掌握比较好。 尝试使用更难的语言时稍有不当之处。
	3–4 分	4–6 分
程度二	完成写作任务：内容大致相关，但并不总是符合交际情景，在一定程度上考虑写作目的和读者。 思想观点的展开尚令人满意。内容的组织、连贯性尚可。 风格和语体比较恰当，尝试使用段落组织内容。	主要使用简单的句子结构和词语。 对语言有一定的掌握。 尝试使用更难的语言时出现语法错误，但意思表达大致清楚。

	内容 相关性和思想观点的展开	语言 风格和准确度
	1–2 分	1–3 分
程度一	有限地完成写作任务：较少内容相关，不符合交际情景、对写作目的和 / 或读者考虑不足。 思想观点偶尔展开，虽然有时是不完整的和 / 或重复的。内容的组织缺乏连贯性。 风格和语体可能前后不一致或不恰当。 有限地使用或没有使用段落组织内容。	使用简单的结构和词语。 没有很好地掌握简单的语言结构。意思表达经常模糊不清。
	0 分	0 分
	没有任何可供评分的内容。	没有任何可供评分的内容。

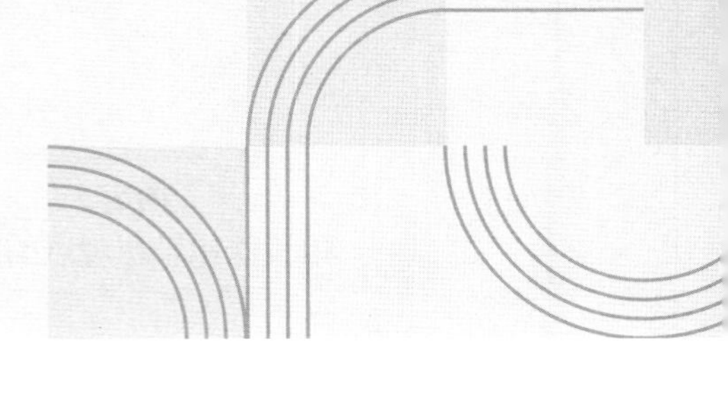

第二节 提示性作文

主题一 年轻人和教育

优秀范例

话题 1：学校

模拟练习

你的朋友小红想知道你的学校是怎样的。给她写封信，介绍你的学校。

字数：100–120 个汉字。满分为 8 分，其中内容占 3 分，语言占 5 分。

在信中，你必须谈到：

- 学校的基本情况
- 学校的设施
- 你今年学习哪些科目

答题技巧

1. 审清题意：理解情景，把握关键词，找到受众和文体格式

   情景：介绍你的学校

   关键词：学校的基本情况 / 设施 / 学习科目

   受众：朋友小红

   文体格式：私人信件

2. 内容建构：根据关键词构思内容，内容必须覆盖全部提示性问题

   学校的基本情况：学校的类型（国际学校 / 本地学校 / 寄宿学校……）、年级、历史、师生背景、周围环境等

   设施：可以直接罗列学校的各种设施，比如操场、小卖部、图书馆、舞蹈教室等，再对其中某些设施进行具体描述

学习科目：简单介绍所学的科目，根据个人经验发表看法

3. **语言运用：文通字顺，词语使用广泛，段落结构清晰**

   适当运用较复杂的语言结构，注意词语搭配。恰当使用连接词，让语句、段落衔接自然。标点符号准确，字迹工整。

高分范文

亲爱的小红：

你好！你很想知道我的学校是怎样的，那我就来告诉你吧。

我的学校叫"天海中学"，是一间国际学校。我的学校有六个年级，两千多个学生，一百多位老师。我的同学和老师来自世界各地。在学校，我最好的朋友是英国人，我的班主任是新加坡人。我的学校设施齐全，有教室、图书馆、小卖部、操场，还有一个室内游泳池。

我今年学九门课，有英语、汉语、科学、体育等等。我最喜欢科学，因为我的科学老师挺幽默的，上他的课我感到很轻松。我最不喜欢英语，因为老师要求我们看很多文学作品，英语考试也很难，一到考试我就特别紧张。

我喜欢我的学校，也希望你喜欢这个学校。

祝

身体健康！

朋友

小兰

2018 年 8 月 2 日

话题 2：教育

模拟练习

你的中国朋友王冬明正在学英语，他写了封信给你介绍他的学习情况。你正在学汉语，给王冬明写一封回信，向他介绍一下你学习汉语的经历。

字数：100–120 个汉字。满分为 8 分，其中内容占 3 分，语言占 5 分。

在信中，你必须：

- 说明你学习汉语的原因
- 介绍你学习汉语的方法
- 谈谈你现在学得怎么样

答题技巧

1. 审清题意：理解情景，把握关键词，找到受众和文体格式

   情景：介绍你学习汉语的经历

   关键词：学习汉语的原因 / 方法 / 现在学得怎么样

   受众：中国朋友王冬明

   文体格式：私人信件

2. 内容建构：根据关键词构思内容，内容必须覆盖全部提示性问题

   学习汉语的原因：汉语有用、对中国的历史文化感兴趣、想去中国旅游等

   方法：在学校上汉语课、看中文电影、听中文歌、找中国朋友聊天儿等

   现在学得怎么样：可以从听、说、读、写四个方面进行说明

3. 语言运用：文通字顺，词语使用广泛，段落结构清晰

   适当运用较复杂的语言结构，注意词语搭配。恰当使用连接词，让语句、段落衔接自然。标点符号准确，字迹工整。

高分范文

亲爱的冬明：

你好！我知道你正在学习英语。我现在正在学汉语，因为我觉得汉语非常有用，我对中国的历史和文化也很感兴趣。

我以前觉得汉语太难学了，总是记不住以前学过的字，在写作的时候还经常写错别字。上中学以后，我下决心要努力学好汉语。我每个星期有两节汉语课，每天早上起来我会读一下正在学的课文，晚上吃完饭还会做汉语功课。我的汉语老师挺好的，我有不明白的地方，老师都很耐心地解答。我开始看中文电影了，有时候也听中文歌，遇到不认识的词就用电脑查字典，再把词语记到本子上。老师和同学都说我的汉语有进步，我听了非常高兴。

我现在很喜欢汉语，希望下次见面我们可以用汉语聊天儿。

朋友

小文

2018 年 4 月 20 日

话题 3：未来的计划

模拟练习

你马上就要中学毕业了，请给你的朋友写一封电子邮件，谈一谈你毕业以后的打算。

字数：100–120 个汉字。满分为 8 分，其中内容占 3 分，语言占 5 分。

在电子邮件中，你必须谈到：

- 你什么时候毕业
- 毕业以后的计划
- 未来你想做什么工作

答题技巧

1. **审清题意：理解情景，把握关键词，找到受众和文体格式**

   情景：中学毕业以后的打算

   关键词：什么时候毕业 / 毕业以后的计划 / 未来想做的工作

   受众：朋友

   文体格式：电子邮件

2. **内容建构：根据关键词构思内容，内容必须覆盖全部提示性问题**

   什么时候毕业：符合“马上中学毕业”的时间，比如下个月、还有两个星期等

   毕业以后的计划：（自己、和父母、和朋友）去旅行增长见闻、在暑假做兼职积累经验、为上大学做准备、做志愿者服务社会等

   未来想做的工作：描述自己未来想做的工作，也可以扩展思路说明原因以及所做的准备

3. **语言运用：文通字顺，词语使用广泛，段落结构清晰**

   适当运用较复杂的语言结构，注意词语搭配。恰当使用连接词，让语句、段落衔接自然。标点符号准确，字迹工整。

高分范文

发件人：张小天 /zhangxt@gmail.com

收件人：李明 /liming@gmail.com

主题：未来的计划

日期：5 月 25 日

亲爱的小明：

你最近好吗？很久没联系了，上次见面还是一年前，时间过得真快，还有一个月我就要中学毕业了。我和你说说我毕业以后的计划吧。

我打算先和朋友一起去毕业旅行。我和朋友都喜欢中国的历史和文化，我们想去北京参观故宫，还想吃烤鸭和饺子。这次旅行的第一站就去北京。之后我们会坐火车游览中国几个著名的城市，比如：西安、杭州等。我以后想当英语老师，所以大学我选择了教育专业。这次毕业旅行的最后一站将会是中国贵州的山区学校，我们打算去那里做一个星期的义工，体验一下当老师的感觉。

这就是我毕业以后的计划。暑假快到了，你有什么计划呢？

祝你生活愉快！

小天

话题 4：友谊

模拟练习

你刚过完十五岁的生日，写一篇日记，谈谈你的生日会。

字数：100–120 个汉字。满分为 8 分，其中内容占 3 分，语言占 5 分。

在日记中，你必须谈到：

- 谁参加了你的生日会
- 你收到了什么礼物
- 生日会上有什么难忘的事

答题技巧

1. 审清题意：理解情景，把握关键词，找到受众和文体格式
   情景：生日会
   关键词：谁 / 礼物 / 难忘的事
   受众：自己
   文体格式：日记
2. 内容建构：根据关键词构思内容，内容必须覆盖全部提示性问题
   谁：可以是家人、朋友、邻居等
   礼物：可以罗列出不同的几个礼物，并适当描写自己的感想
   难忘的事：选取和“生日会”有关的事，重点说明这件事令你难忘的原因
3. 语言运用：文通字顺，词语使用广泛，段落结构清晰
   适当运用较复杂的语言结构，注意词语搭配。恰当使用连接词，让语句、段落衔接自然。标点符号准确，字迹工整。

高分范文

2018 年 4 月 18 日　星期三　　天气：晴

今天是我十五岁的生日。一个星期前我给几个最要好的朋友发了邀请信，让他们来参加我的生日会。生日会在晚上六点开始，是在我家楼下的餐厅举行的。我的朋友们都准时来到了餐厅，他们送给我很多生日礼物，有英文书、巧克力，还有围巾。我的爸爸妈妈给我买了一个芒果蛋糕。我们一起唱生日歌，吹蜡烛，吃蛋糕。最让我难忘的是，我的朋友玛丽悄悄用手机录了我许愿和吹蜡烛的视频，还拍了很多我和朋友在一起玩闹的照片，这些都是非常珍贵的记忆。我永远都不会忘记十五岁和家人、朋友一起度过的生日会。

话题 5：朋辈之间的压力和矛盾

模拟练习

你和朋友因为一件小事吵架了，写一篇日记，谈谈吵架的经过。

字数：100–120 个汉字。满分为 8 分，其中内容占 3 分，语言占 5 分。

在日记中，你必须：

- 解释你们吵架的原因
- 描述你当时的心情
- 说明你希望以后怎么做

答题技巧

1. **审清题意：理解情景，把握关键词，找到受众和文体格式**

   情景：和朋友吵架的经过

   关键词：原因 / 当时的心情 / 以后怎么做

   受众：自己

   文体格式：日记

2. **内容建构：根据关键词构思内容，内容必须覆盖全部提示性问题**

   原因：审题时要看清是因为“一件小事”吵架，可以结合生活经验，描述吵架的原因

   当时的心情：可以是生气、委屈、难过，也可以和冷静之后的心情做对比

   以后怎么做：反思后意识到错误、找朋友沟通、避免类似的事情发生等

3. **语言运用：文通字顺，词语使用广泛，段落结构清晰**

   适当运用较复杂的语言结构，注意词语搭配。恰当使用连接词，让语句、段落衔接自然。标点符号准确，字迹工整。

AQA Unit16: Arguing / Quarrelling
Speaking 16.23

高分范文

2018年4月24日　星期二　　　　天气：小雨

今天，我和小海吵架了。我们本来说好放学以后一起去踢足球，但因为今天的天气不好，我明天又有一个很重要的考试，想早点回家复习，我就跟小海发信息说我不去踢球了。但是我没想到小海的手机没电了，他没看到我的信息。我七点多接到小海的电话才知道下午他一直在球场等我。电话里他听起来很生气，他觉得已经说好的事情不应该临时改变计划。我当时觉得有点儿委屈，现在想想确实是我的错，我应该再考虑得周全一些，把自己的复习时间提前安排好。我打算这个周末去小海家亲自向他道歉，希望他能原谅我，我们还是好朋友。

好了，我要去睡觉了。

练习题库

1. 你今天生病了，不能去上中文课。给你的中文老师写一封电子邮件，向他 / 她请假。

   字数：100–120 个汉字。满分为 8 分，其中内容占 3 分，语言占 5 分。

   在电子邮件中，你必须谈到：

   - 你生了什么病
   - 医生怎么说
   - 在功课方面，你会怎么做

2. 你在暑期时参加了一个北京游学团。给你的好朋友写一封信，告诉他 / 她你在游学团的经历。

   字数：100–120 个汉字。满分为 8 分，其中内容占 3 分，语言占 5 分。

   在信中，你必须谈到：

   - 你参加了什么活动
   - 你遇到了什么困难
   - 你在学习和生活方面有什么收获

3. 你在报纸上看到了自己感兴趣的暑期兼职工作。给雇主写一封信，申请这份工作。

   字数：100–120 个汉字。满分为 8 分，其中内容占 3 分，语言占 5 分。

   在信中，你必须：

   - 说明你想申请的工作职位
   - 解释你申请这份工作的原因
   - 谈谈你为什么觉得自己适合做这份工作

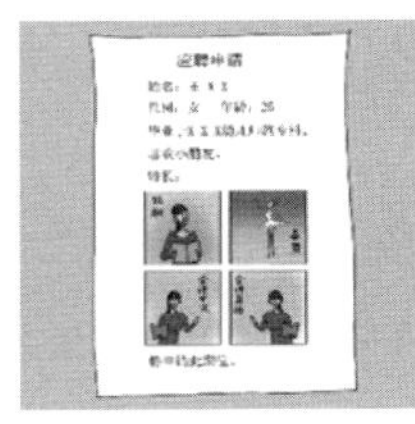

4. 你约了同学去图书馆看书、做作业，来不及告诉姐姐就拿了她的字典。请写一张便条，告诉姐姐这件事。

字数：100–120 个汉字。满分为 8 分，其中内容占 3 分，语言占 5 分。

在便条中，你必须：

- 向姐姐道歉
- 解释拿姐姐字典的原因
- 说明回家的时间

5. 你不在家的时候，快递公司送来了一盒礼物，你的邻居代你签收了。写一封电子邮件，向邻居表示感谢。

字数：100–120 个汉字。满分为 8 分，其中内容占 3 分，语言占 5 分。

在电子邮件中，你必须：

- 表达对邻居的感谢
- 说明快递来的礼物是什么
- 解释着急拿到这个礼物的原因

6. 你在学校运动会百米跑中得了第一名。给在外地的妈妈写一封电子邮件，跟她分享这个好消息。

字数：100–120 个汉字。满分为 8 分，其中内容占 3 分，语言占 5 分。

在电子邮件中，你必须：

- 描述你的心情如何
- 表达对妈妈的感谢
- 谈谈准备怎么庆祝

7. 明天就是母亲节了。给妈妈写一张便条，向她表达你的祝福。

字数：100–120 个汉字。满分为 8 分，其中内容占 3 分，语言占 5 分。

在便条中，你必须：

- 说明写这张便条的原因
- 表达对妈妈的感谢
- 谈谈准备怎么庆祝母亲节

8. 今天你中学毕业了。写一篇日记，简单记录一下毕业典礼的情景。

字数：100–120 个汉字。满分为 8 分，其中内容占 3 分，语言占 5 分。

在日记中，你必须谈到：

- 毕业典礼是几点开始的
- 你邀请了谁出席
- 你的心情是怎样的

主题高频词

词语	拼音	英文	词语	拼音	英文
学校	xué xiào	school	朋友	péng you	friend
学生	xué sheng	student	生日会	shēng rì huì	birthday party
老师	lǎo shī	teacher	见面	jiàn miàn	to meet
同学	tóng xué	classmate	性格	xìng gé	personality
学习	xué xí	to learn	耐心	nài xīn	patient
中文	zhōng wén	Chinese language	友好	yǒu hǎo	friendly
汉语	hàn yǔ	Chinese language	周末	zhōu mò	weekend
设施齐全	shè shī qí quán	well-equipped facilities	旅行	lǚ xíng	to travel
教室	jiào shì	classroom	有用	yǒu yòng	useful
食堂	shí táng	canteen	城市	chéng shì	city
图书馆	tú shū guǎn	library	体验	tǐ yàn	experience
游泳池	yóu yǒng chí	swimming pool	看书	kàn shū	to read books
小卖部	xiǎo mài bù	tuck shop	感兴趣	gǎn xìng qù	be interested in
球场	qiú chǎng	court	国际	guó jì	international
复习	fù xí	to review	小说	xiǎo shuō	novel
功课	gōng kè	homework	睡觉	shuì jiào	to sleep

考试	kǎo shì	examination
毕业	bì yè	to graduate
课程表	kè chéng biǎo	timetable
科目	kē mù	subject
课外活动	kè wài huó dòng	extra-curricular activities
活动周	huó dòng zhōu	Activity Week
专业	zhuān yè	profession
中学	zhōng xué	secondary school
大学	dà xué	university
舒服	shū fu	comfortable
世界各地	shì jiè gè dì	all over the world
愉快	yú kuài	pleasant
压力	yā lì	pressure
电话	diàn huà	telephone
聊天儿	liáo tiānr	to chat
快乐	kuài lè	happy
职业	zhí yè	occupation
词语	cí yǔ	vocabulary

主题二 社会

优秀范例

话题 1：青年人和青年人的榜样

模拟练习

学校请来一位名人向全校师生进行演讲，听完演讲后你很受启发。给你的朋友写一封信，谈谈这次演讲。

字数：100–120 个汉字。满分为 8 分，其中内容占 3 分，语言占 5 分。

在信中，你必须：

- 指出那位名人是谁
- 介绍演讲的内容
- 说明听完演讲后你的心得

答题技巧

1. **审清题意：理解情景，把握关键词，找到受众和文体格式**

   情景：名人演讲

   关键词：谁 / 演讲内容 / 心得

   受众：朋友

   文体格式：私人信件

2. **内容建构：根据关键词构思内容，内容必须覆盖全部提示性问题**

   谁：选择一位熟悉的名人，可以是演员、歌手、运动员、企业家、政治家等

   内容：取材要有意义，可以分享个人成就、遇到过的困难、和家人的关系等

   心得：题目中提示你听完演讲“很受启发”，可以和学习、人际关系、未来计划等有关

3. **语言运用：文通字顺，词语使用广泛，段落结构清晰**

   适当运用较复杂的语言结构，注意词语搭配。恰当使用连接词，让语句、段落衔接自然。标点符号准确，字迹工整。

高分范文

亲爱的明明：

你好！最近过得怎么样？你一定猜不到昨天谁来我们学校了。是埃隆·马斯克，就是特斯拉公司的创始人。你知道我是"科技迷"，我也很喜欢特斯拉的电动汽车，所以能见到埃隆·马斯克我特别激动。

他昨天来我们学校做了一场演讲，谈了他以前读书的经历，也分享了一些创业心得。他说对待工作一定要认真，就算已经取得了一些成就，还是要继续努力奋斗。我很认同他说的话。

埃隆·马斯克是我最喜欢的名人，他昨天的演讲令我很受启发，让我知道一定要有认真的态度才能取得成功。他的分享让我更有动力去学习。

好了，时间不早了，先写到这里吧。

祝好！

你的朋友

小玲

4 月 20 日

话题 2：健康

模拟练习

你的朋友李小文生病了，他已经三天没来上学了。给他写一封电子邮件，谈谈怎样保持健康。

字数：100-120 个汉字。满分为 8 分，其中内容占 3 分，语言占 5 分。

在电子邮件中，你必须：

- 询问他现在的身体情况
- 在生活习惯方面，向他介绍保持健康的方法
- 在饮食方面，向他介绍保持健康的方法

答题技巧

1. **审清题意：理解情景，把握关键词，找到受众和文体格式**
   情景：保持健康
   关键词：身体情况 / 生活习惯 / 饮食
   受众：李小文
   文体格式：电子邮件
2. **内容建构：根据关键词构思内容，内容必须覆盖全部提示性问题**
   身体情况：结合题目背景询问李小文的身体情况
   生活习惯：可以从作息时间、运动习惯等方面给建议
   饮食：列举健康的饮食习惯，可以是三餐定时定量、营养均衡、荤素搭配合理、"早吃好、午吃饱、晚吃少"等
3. **语言运用：文通字顺，词语使用广泛，段落结构清晰**
   适当运用较复杂的语言结构，注意词语搭配。恰当使用连接词，让语句、段落衔接自然。标点符号准确，字迹工整。

高分范文

发件人：黄海 /huanghai@gmail.com
收件人：李小文 /lixiaowen@163.com
主题：健康的建议
日期：5 月 12 日

小文：

你好！连续三天都没在学校见到你，听说你生病了，你现在感觉怎么样？有没有看医生？生病一定要多休息，希望你能快一点儿康复。

最近的天气忽冷忽热，如果抵抗力差很容易生病。我想给你一些保持健康的建议。虽然我们现在的学习生活很忙碌，但一定要找时间做运动，经常做运动才能身体好。我知道你的爱好是踢足球，等你病好了我们一起去踢球吧。

除了做运动，我们还应该吃得健康。你现在生病要吃得清淡一点儿。平时的一日三餐要定时定量，不能因为早上想多睡一会儿就不吃早饭。也

可以多吃一些新鲜的水果和蔬菜，比如橙子、西红柿等。新鲜的水果能给我们提供维生素，提高身体的抵抗力。

希望你能早日康复！

小海

话题3：体育运动

模拟练习

你的学校刚刚举办过一场运动会，给你的笔友写一封信，谈一谈运动会的活动。

字数：100–120个汉字。满分为8分，其中内容占3分，语言占5分。

在信中，你必须谈到：

- 你参加了什么项目的比赛，取得了怎样的成绩
- 运动场的气氛怎么样
- 同学的反应

答题技巧

1. 审清题意：理解情景，把握关键词，找到受众和文体格式

   情景：运动会

   关键词：项目、成绩 / 气氛 / 反应

   受众：笔友

   文体格式：私人信件

2. 内容建构：根据关键词构思内容，内容必须覆盖全部提示性问题

   项目、成绩：可以结合个人经历，描述一到两个体育项目和成绩

   气氛：可以直接描写运动场上的气氛，也可以从同学们的语言、动作、神态等方面进行侧面描写

   反应：可以谈谈同学们对这次运动会的看法和感受

3. 语言运用：文通字顺，词语使用广泛，段落结构清晰

   适当运用较复杂的语言结构，注意词语搭配。恰当使用连接词，让语句、段落衔接自然。标点符号准确，字迹工整。

高分范文

亲爱的莉莉：

你好！我们学校昨天刚刚举办了运动会。让我来跟你说说吧！

运动会在我们学校附近的公共体育场举行。昨天天气非常好，很适合做户外运动。运动会在早上九点开始，比赛项目非常多，有跑步、跳高、跳远等。运动场上非常热闹，运动员都在全力以赴地比赛，观众席的同学们也一直为运动员加油助威。

我参加了女子 1500 米跑。这是我第一次参加长跑比赛，因为担心自己的体力不够，几个星期以前我就开始练习跑步了。比赛时，我一直告诉自己不要去考虑成绩，最重要的是享受比赛的过程。我调整呼吸，以自己最舒服的节奏跑完了 1500 米。最后，我取得了第四名的成绩。

同学们都觉得昨天的运动会非常精彩，比赛结束后大家的心情依然很激动，回家的路上还在兴高采烈地讨论着比赛的精彩片段。我们也很期待明年的运动会。

你们学校的运动会是怎样的？有空儿的时候回信给我说说吧。

祝

身体健康！

你的笔友

莎莎

10 月 12 日

话题 4：爱好

模拟练习

你的北京网友小白向你介绍了他的周末生活，给他写一封电子邮件，谈谈你的周末。

字数：100–120 个汉字。满分为 8 分，其中内容占 3 分，语言占 5 分。

在电子邮件中，你必须：

- 描述上个周末你是怎么过的
- 说明在周末你最喜欢做的事情
- 解释你喜欢做这件事的原因

答题技巧

1. **审清题意：理解情景，把握关键词，找到受众和文体格式**

   情景：周末生活

   关键词：上个周末怎么过的 / 喜欢做的事 / 原因

   受众：北京网友小白

   文体格式：电子邮件

2. **内容建构：根据关键词构思内容，内容必须覆盖全部提示性问题**

   上个周末怎么过的：选取一到两件事简单描述，列明时间、地点、和谁一起过的周末

   喜欢做的事：可以是兴趣爱好、休闲活动等

   原因：可以结合自己的生活体验解释原因

3. **语言运用：文通字顺，词语使用广泛，段落结构清晰**

   适当运用较复杂的语言结构，注意词语搭配。恰当使用连接词，让语句、段落衔接自然。标点符号准确，字迹工整。

高分范文

发件人：小英 /xiaoying@163.com

收件人：小白 /xiaobai@163.com

主题：我的周末

日期：5 月 12 日

亲爱的小白：

你好！现在就让我来说说我的周末生活吧！

上个周末，我跟爸爸、妈妈去看望奶奶。我们陪奶奶去附近的茶楼喝早茶，我们吃了虾饺、叉烧包等，大家在一起其乐融融，一边吃点心一边聊着这一周里发生的趣事。把奶奶送回家后，我约了朋友去附近的商场看电影。

在周末，我最喜欢做的事就是去游泳。我从五岁就开始学习游泳，现在已经是个游泳的好手了！游泳的时候，我觉得在水里特别自在，平时的压力都得到了释放，每次游完泳我都觉得一身轻松。

快到暑假了，如果有时间欢迎你来香港找我玩儿。

小英

话题 5：互联网

模拟练习

你的妈妈最近买了一部电脑，她写信向你询问电脑的功能。给妈妈写一封回信，解答她的疑问。

字数：100–120 个汉字。满分为 8 分，其中内容占 3 分，语言占 5 分。

在信中，你必须：

- 谈谈电脑常见的功能
- 建议妈妈可以用电脑做什么
- 提醒妈妈用电脑时的注意事项

答题技巧

1. **审清题意：理解情景，把握关键词，找到受众和文体格式**

   情景：妈妈使用电脑

   关键词：功能 / 用电脑做什么 / 注意事项

   受众：妈妈

   文体格式：私人信件

2. **内容建构：根据关键词构思内容，内容必须覆盖全部提示性问题**

   功能：列举电脑常见的功能，可以是查资料、娱乐、网上聊天儿、网购等

   用电脑做什么：所给的建议应该和妈妈的生活有关，内容要具体，可以是网上购物、和家人打视频电话、看电影、听音乐等

   注意事项：可以和妈妈的健康有关，比如电脑的使用时间；也可以提醒妈妈上网时注意保护个人信息、隐私等

3. **语言运用：文通字顺，词语使用广泛，段落结构清晰**

   适当运用较复杂的语言结构，注意词语搭配。恰当使用连接词，让语句、段落衔接自然。标点符号准确，字迹工整。

高分范文

亲爱的妈妈：

您好！您的信我收到了。我知道您最近买了一部电脑。让我跟您介绍一下电脑的功能吧。

我平时主要用电脑上网查找资料，这样做作业的时候就很方便，因为我不需要再去图书馆借书。网上有五花八门的信息，您可以在网上看新闻，也可以找到您喜欢的食谱。休息的时候，我会用电脑玩儿一会儿游戏，或者上网找朋友聊天儿。我们以后也可以用电脑发邮件联系，这样比写信更方便。我记得您喜欢看京剧，现在有很多看视频的网站，您也可以在电脑上看京剧。

妈妈，用电脑上网虽然很方便，但是网上也有一些虚假信息，您一定要提高警惕，不要被骗。另外，您每天不要用电脑太长时间，经常盯着电脑屏幕会使眼睛很累，一定要注意休息。

如果您用电脑的时候遇到问题可以随时问我。希望您可以跟我分享一下使用电脑的经历。

祝

身体健康！

您的儿子

小毛

6 月 10 日

练习题库

1. 你的学校最近举办了一次义工服务活动。请给你的朋友写一封信，讲述一下这次义工服务的情况。

   字数：100–120 个汉字。满分为 8 分，其中内容占 3 分，语言占 5 分。

   在信中，你必须谈到：

- 学校举办义工服务活动的原因
- 这次义工服务的主要内容
- 这次义工活动办得怎么样

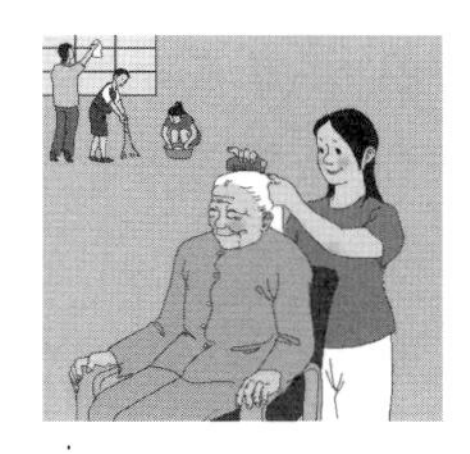

2. 你在国外上大学。一天，你打开童年时的相册，看到一张你的照片。请给你的妈妈写封信，说说你的童年往事。

字数：100–120 个汉字。满分为 8 分，其中内容占 3 分，语言占 5 分。

在信中，你必须说明：

- 你那时候几岁
- 在照片中，你正在做什么
- 你那时候的心情怎么样

3. 你最近养了一只新宠物。给你的好朋友写一封电子邮件，告诉他／她你和新宠物之间的经历。

字数：100–120 个汉字。满分为 8 分，其中内容占 3 分，语言占 5 分。

在电子邮件中，你必须说明：

- 怎么得到的新宠物
- 怎么照顾新宠物
- 从照顾宠物的经历中你学到了什么

4. 明天就是你的篮球比赛决赛。写一个便条提醒爸爸去支持你的比赛。

字数：100–120 个汉字。满分为 8 分，其中内容占 3 分，语言占 5 分。

在便条中，你必须说明：

- 比赛的场地和时间
- 要穿什么颜色的衣服
- 如何庆祝的建议

5. 你约了同学出去踢足球，来不及告诉妈妈。给妈妈发一封电子邮件。

字数：100–120 个汉字。满分为 8 分，其中内容占 3 分，语言占 5 分。

在电子邮件中，你必须说明：

- 你跟谁一起出去踢足球
- 你要去哪儿踢球
- 大约几点回家

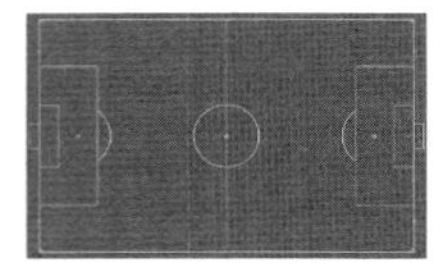

6. 你是今年学生会主席的候选人，请给学生会写一封电子邮件，简短地说明你的长处。

字数：100–120 个汉字。满分为 8 分，其中内容占 3 分，语言占 5 分。

在电子邮件中，你必须说明：

- 你的性格是怎样的
- 你有什么爱好
- 你关注学校的哪些方面

7. 很多同学课间休息时留在教室里打游戏机。作为学生会主席，你觉得应该提醒同学注意身体健康。写一篇简短的演讲稿，劝同学们放下游戏机，出去做运动。

字数：100–120 个汉字。满分为 8 分，其中内容占 3 分，语言占 5 分。

在演讲稿中，你必须说明：

- 为什么要做这个演讲
- 长时间打游戏机对身体有什么坏处
- 出去做运动有什么好处

主题高频词

词语	拼音	英文	词语	拼音	英文
爱好	ài hào	hobby	比赛	bǐ sài	competition
兴趣	xìng qù	interest	考试	kǎo shì	examination
休闲	xiū xián	leisure	学业	xué yè	study
沉迷	chén mí	be addicted to	生病	shēng bìng	to get sick
电脑	diàn nǎo	computer	抵抗力	dǐ kàng lì	immunity
科技	kē jì	technology	交朋友	jiāo péng you	to make friends
社交网络	shè jiāo wǎng luò	social network	交谈	jiāo tán	to talk
上网	shàng wǎng	to surf the Internet	压力	yā lì	pressure
电话	diàn huà	telephone	聊天儿	liáo tiānr	to chat
电脑游戏	diàn nǎo yóu xì	computer games	成绩	chéng jì	result
听音乐	tīng yīn yuè	to listen to music	善用时间	shàn yòng shí jiān	to make good use of time
手机	shǒu jī	phone	健康	jiàn kāng	healthy
低头族	dī tóu zú	phubber	身体	shēn tǐ	body
休息	xiū xi	to rest	运动	yùn dòng	sport
新鲜	xīn xiān	fresh	游泳	yóu yǒng	swimming
公园	gōng yuán	park	跑步	pǎo bù	running
心情	xīn qíng	mood	减压	jiǎn yā	to release pressure
义工	yì gōng	volunteer	早餐	zǎo cān	breakfast
慈善机构	cí shàn jī gòu	charity	午餐	wǔ cān	lunch
年轻人	nián qīng rén	young people	晚餐	wǎn cān	dinner

词语	拼音	英文	词语	拼音	英文
青少年	qīng shào nián	teenager	营养	yíng yǎng	nutrition
沟通	gōu tōng	communication	均衡	jūn héng	balanced
电影	diàn yǐng	movie	习惯	xí guàn	habit
电视	diàn shì	TV	睡眠	shuì mián	sleep
节目	jié mù	programme	作息	zuò xī	daily routine

答题技巧

1. **审清题意：理解情景，把握关键词，找到受众和文体格式**

   情景：北京旅行

   关键词：天气 / 景点 / 纪念品

   受众：自己

   文体格式：日记

2. **内容建构：根据关键词构思内容，内容必须覆盖全部提示性问题**

   天气：简单描写当日的天气

   景点：介绍北京的著名景点，可以是长城、故宫、颐和园等，也可以是有特色的地方，比如胡同、四合院等

   纪念品：可以列举几种有北京特色的纪念品

3. **语言运用：文通字顺，词语使用广泛，段落结构清晰**

   适当运用较复杂的语言结构，注意词语搭配。恰当使用连接词，让语句、段落衔接自然。标点符号准确，字迹工整。

高分范文

6月30日　星期五　　　　天气：晴

今天是我来北京的第三天。前两天一直在下雨，今天终于出太阳了。

早上，我们先开车去了八达岭长城。俗话说，“不到长城非好汉。”以前我只在中文课本上见过长城的照片，没想到长城这么雄伟壮观。我们花了三个多小时才登上了长城，还在烽火台上拍了照。下午离开长城后，我们本打算去故宫看一看，到了才知道原来故宫非常大，所以我们只匆忙逛了故宫的礼品店。我买了一把有水墨画图案的雨伞，还买了两张别致的书签。

明天就要离开北京了。听说在机场附近有一个明清家具博物馆，那儿的院子里有很多可爱的流浪猫，要是有时间能顺路去看一下就好了。

话题 3：居住环境

模拟练习

你的表弟下个月要来找你玩儿，还会在你们家住几天。给他写封信，向他介绍一下你家周围的环境。

字数：100–120 个汉字。满分为 8 分，其中内容占 3 分，语言占 5 分。

在信中，你必须：

- 描写你家周围的自然环境
- 介绍你家附近的公共设施
- 告诉表弟你打算带他做什么

答题技巧

1. **审清题意：理解情景，把握关键词，找到受众和文体格式**

   情景：你家周围的环境

   关键词：自然环境 / 公共设施 / 做什么

   受众：表弟

   文体格式：私人信件

2. **内容建构：根据关键词构思内容，内容必须覆盖全部提示性问题**

   自然环境：先表明居住地点在城市、郊区还是乡村，再描写相应的自然环境

   公共设施：可以是公共交通、商场、超市、电影院、药房等

   做什么：根据居住环境建议一两种活动

3. **语言运用：文通字顺，词语使用广泛，段落结构清晰**

   适当运用较复杂的语言结构，注意词语搭配。恰当使用连接词，让语句、段落衔接自然。标点符号准确，字迹工整。

高分范文

亲爱的小华：

你好！听说你下个月要来找我玩儿，欢迎你！我来介绍一下我家周围的环境吧！

我和家人刚从城市搬来郊区不久，可是我已经很适应这里的生活了！我家现在住的地方群山环绕，到处都是花草树木。你来了我们可以一起去爬山，感受鸟语花香，呼吸一下新鲜的空气。早上我还可以带你去我家旁边的农田，直接向农民买新鲜的蔬果。

这里虽然环境优美，但是公共设施不如城市完善。我家附近只有一间小超市和一家中餐馆。交通也没那么四通八达，我家门口有一个公共汽车站，每二十分钟才有一辆车，要坐半个小时才能到市中心。如果我们去那儿的话，就可以看电影、逛街、吃饭等。

我们全家都很期待你的到来！如果还有其他你想知道的，就写信告诉我吧！

祝

学业进步！

笑笑

4 月 29 日

话题 4：环保

模拟练习

你在暑假参加了一次环保夏令营，给你的父母写一封信，谈一谈你在夏令营的经历。

字数：100–120 个汉字。满分为 8 分，其中内容占 3 分，语言占 5 分。

在信中，你必须谈到：

- 你在夏令营参加了什么有关环保的活动
- 你对环保有什么新的认识
- 同学的反应

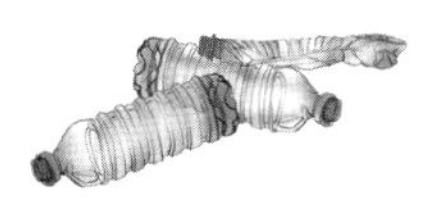

答题技巧

1. 审清题意：理解情景，把握关键词，找到受众和文体格式

   情景：环保夏令营

   关键词：有关环保的活动 / 新的认识 / 反应

   受众：父母

   文体格式：私人信件

2. 内容建构：根据关键词构思内容，内容必须覆盖全部提示性问题

有关环保的活动：可以是听讲座、看展览、捡垃圾、回收塑料瓶等

新的认识：可以是了解环境破坏对地球的影响、反思自己或身边不环保的行为、提高环保意识等

反应：可以谈谈同学们的收获和感想

3. 语言运用：文通字顺，词语使用广泛，段落结构清晰

适当运用较复杂的语言结构，注意词语搭配。恰当使用连接词，让语句、段落衔接自然。标点符号准确，字迹工整。

高分范文

亲爱的爸爸、妈妈：

你们好！我来这个环保夏令营已经一个星期了。我来说说在这里的体会吧！

我们在这个夏令营里做了很多跟环保有关的活动。我们参观了环保局，了解了香港环境的现状；我们也听了一些环保人士的演讲，他们分享了在日常生活中环保的小绝招。我们还制作了很多环保的宣传海报和视频，有些已经放在了网上，收到的反响还不错呢！昨天我们去了海边，听海洋保育员向我们讲解人类对海洋造成的破坏和污染、现在海洋生物面对的危险和挑战。听完之后，我们都特别难过和气愤。之后我们一起在海边捡了两个小时的垃圾。你们想象不到，我们捡的垃圾，竟然装满了六个大塑料袋！

同学们都觉得，通过参加这个夏令营，我们了解到了很多关于环保的知识，学到了很多平时有助于环保的生活习惯，更明白了我们每个人都对环保责无旁贷，应该从身边的点点滴滴做起，爱护我们的地球。

等我回家了，再更仔细地跟你们聊聊吧！

祝

身体健康！

女儿

小冰

2018 年 4 月 3 日

话题 5：全球暖化

模拟练习

在学校，你观察到一些不环保的行为。给校长写封信，希望学校可以更加重视环境保护问题。

字数：100–120 个汉字。满分为 8 分，其中内容占 3 分，语言占 5 分。

在信中，你必须谈到：

- 在学校，你观察到哪些不环保的行为
- 你认为学生可以怎样支持环保
- 你认为学校可以怎样支持环保

答题技巧

1. **审清题意：理解情景，把握关键词，找到受众和文体格式**

   情景：环保

   关键词：不环保的行为 / 学生怎样支持环保 / 学校怎样支持环保

   受众：校长

   文体格式：正式信件

2. **内容建构：根据关键词构思内容，内容必须覆盖全部提示性问题**

   不环保的行为：和学校生活有关的不环保行为，可以是浪费水电、浪费纸张、使用一次性餐具、浪费食物等

   学生怎样支持环保：学生可以改变不环保的行为，培养环保的习惯、提高环保意识等

   学校怎样支持环保：学校可以组织环保活动、增设回收箱、宣传环保知识等

3. **语言运用：文通字顺，词语使用广泛，段落结构清晰**

   适当运用较复杂的语言结构，注意词语搭配。恰当使用连接词，让语句、段落衔接自然。标点符号准确，字迹工整。

高分范文

尊敬的校长：

　　您好！我是学校十一年级的学生，我想和您谈一谈我们学校的环保问题。

　　最近我观察到很多不环保的现象。那天我在走廊上经过一间教室，看到里面没有老师也没有同学，但灯和冷气都开着，这样非常浪费电。因为怕麻烦，大部分的同学也没有自带餐具的习惯，他们用食堂提供的一次性筷子或者塑料刀叉吃午饭。我还发现很多同学不节约用纸，一张纸上只写了几个字就扔掉了。我认为同学们这样做是因为他们没有意识到这会对环境造成破坏。同学们应该提高环保意识，培养良好的习惯。我建议在校园内张贴一些环保宣传的海报，鼓励同学们养成随手关灯、关冷气的习惯。食堂也可以不再提供一次性餐具和塑料吸管，减少不必要的浪费。学校里也可以放置垃圾分类回收箱，希望同学们开始回收、重用废物，为保护环境出一份力。

希望您可以考虑我的意见。

祝您工作顺利！

您的学生
王小明
5 月 20 日

练习题库

1. 你和家人在中国度假。有一天，你发现你的背包不见了，幸运的是最后你找到了背包。给你的朋友写一封信，讲一下这个经历。

   字数：100–120 个汉字。满分为 8 分，其中内容占 3 分，语言占 5 分。

   在信中，你必须谈到：

   - 你什么时候发现背包不见了
   - 书包里有什么
   - 你找到背包时的心情

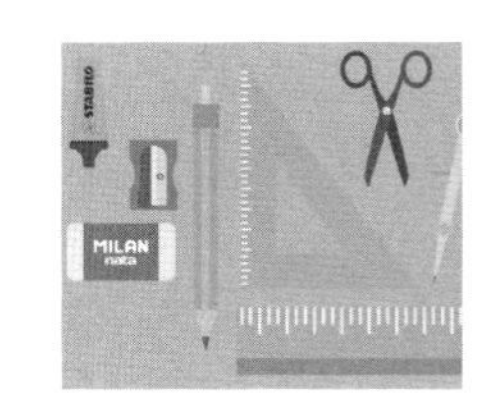

2. 你的朋友小林今年暑假会到你居住的城市来找你。给小林写一封电子邮件，希望她可以为来访做好准备。

   字数：100–120 个汉字。满分为 8 分，其中内容占 3 分，语言占 5 分。

在电子邮件中，你必须谈到：

- 你住的城市夏天的天气怎么样
- 建议小林带什么衣服
- 你打算为她安排什么活动

3. 今年圣诞节假期，你和父母去了一个地方旅行。给你的朋友写一封信，告诉他 / 她你的旅行经历。

字数：100–120 个汉字。满分为 8 分，其中内容占 3 分，语言占 5 分。

在信中，你必须谈到：

- 你去了什么地方旅行
- 你发现这个地方和你生活的地方有什么不同
- 你有什么特别的经历

4. 妈妈即将从英国出差回来。给妈妈写一封电子邮件，提醒她要买的礼物。

字数：100–120 个汉字。满分为 8 分，其中内容占 3 分，语言占 5 分。

在电子邮件中，你必须谈到：

- 希望妈妈买什么礼物
- 这份礼物准备送给谁
- 为什么要买这份礼物

5. 老师要求你在班会上简单说明一下你喜欢居住的地方。请写一篇演讲稿，谈谈这个地方。

字数：100–120 个汉字。满分为 8 分，其中内容占 3 分，语言占 5 分。

在演讲稿中，你必须谈到：

- 喜欢居住的地方的名称
- 那里的环境是怎样的
- 那里有什么特别的景点或食物

6. 你是学校环保小组的组长。这个周末你们会在海滩组织一次活动。给参加者写一封电子邮件，告诉他们这次活动的安排。

字数：100–120 个汉字。满分为 8 分，其中内容占 3 分，语言占 5 分。

在电子邮件中，你必须谈到：

- 这个周末的天气怎么样
- 需要参加者准备什么东西
- 安排了什么活动

7. 你在学校附近的公园做了一天的环保宣传大使。写一篇日记，简单记录一下那天的活动。

字数：100–120 个汉字。满分为 8 分，其中内容占 3 分，语言占 5 分。

在日记中，你必须谈到：

- 作为环保大使，你在公园做了什么
- 公园里市民的反应怎么样
- 你的感受是什么

8. 在学校的食堂，你发现很多不环保的现象。给食堂负责人写一封信，告诉他／她这个情况。

字数：100–120 个汉字。满分为 8 分，其中内容占 3 分，语言占 5 分。

在信中，你必须：

- 指出学校食堂有哪些不环保的现象
- 向他／她提出改善的建议
- 说明环保的重要性

主题高频词

词语	拼音	英文
环境	huán jìng	environment
保护	bǎo hù	protection ; to protect
污染	wū rǎn	pollution
破坏	pò huài	destroy
废物利用	fèi wù lì yòng	resue of wasted things
回收	huí shōu	to recycle
重用	chóng yòng	to resue
食堂	shí táng	canteen
塑料	sù liào	plastic
餐具	cān jù	cutlery
一次性	yī cì xìng	disposable
海洋	hǎi yáng	ocean
爱护地球	ài hù dì qiú	to save the Earth
意识	yì shí	awareness
浪费	làng fèi	to waste
节约	jié yuē	to save
宣传	xuān chuán	to promote
张贴	zhāng tiē	to put up
城市	chéng shì	city
市区	shì qū	urban area
郊区	jiāo qū	suburb
公共	gōng gòng	public
设施	shè shī	facility
交通	jiāo tōng	transport
四通八达	sì tōng bā dá	be accessible from all directions
超市	chāo shì	supermarket
高楼大厦	gāo lóu dà shà	high-rise building
花草树木	huā cǎo shù mù	plants and trees
农田	nóng tián	farm
清澈	qīng chè	clear
暑假	shǔ jià	summer holiday
旅行	lǚ xíng	trip; to travel
世界各地	shì jiè gè dì	all over the world
参观	cān guān	to visit
景点	jǐng diǎn	tourist attraction
名胜古迹	míng shèng gǔ jì	scenic spots and historical sites

词语	拼音	英文	词语	拼音	英文
家乡	jiā xiāng	hometown	风景优美	fēng jǐng yōu měi	beautiful landscapes
空气	kōng qì	air	明信片	míng xìn piàn	postcard
清新	qīng xīn	fresh	美食	měi shí	gourmet
新鲜	xīn xiān	fresh	购物	gòu wù	shopping
呼吸	hū xī	to breathe	热闹	rè nao	lively
天气	tiān qì	weather	酒店	jiǔ diàn	hotel
自然	zì rán	nature	冷气	lěng qì	air-conditioner

主题四 文化多样性

优秀范例

话题 1：节日和庆祝活动

模拟练习

为了让同学们更好地了解中西方文化，你的学校每年都会举办“地球村文化周”活动。今年活动的主题是“中西方节日的互相影响”。写一篇日记，谈一谈你对中西方节日的认识。

字数：100–120 个汉字。满分为 8 分，其中内容占 3 分，语言占 5 分。

在日记中，你必须谈到：

- 你会庆祝哪些中西方节日
- 你怎样庆祝这些节日
- 中西方节日互相影响有什么好处

答题技巧

1. **审清题意：理解情景，把握关键词，找到受众和文体格式**

   情景：中西方节日互相影响

   关键词：中西方节日 / 庆祝方式 / 中西方节日互相影响的好处

   受众：自己

   文体格式：日记

2. **内容建构：根据关键词构思内容，内容必须覆盖全部提示性问题**

   中西方节日：列举几个典型的中西方节日

   庆祝方式：根据自己过节的经验，描写中西方节日的传统习俗、食物、意义、禁忌等

   中西方节日互相影响的好处：生活更多姿多彩、促进交流、增加对不同文化的尊重和理解等

3. **语言运用：文通字顺，词语使用广泛，段落结构清晰**

   适当运用较复杂的语言结构，注意词语搭配。恰当使用连接词，让语句、段落衔接自然。标点符号准确，字迹工整。

高分范文

6 月 20 日　星期四　　　　　　　　　　　　　　　　　　天气：小雨

这一周是我们学校的“地球村文化周”，老师让我们想一想对中西方节日了解多少。我回忆了一下，发现学校每年除了庆祝春节、圣诞节和复活节外，也庆祝印度的新年，因为我们的学校有很多印度人。我的朋友有的是英国人，有的是印度人，有的是日本人，但他们都和我们中国人一样庆祝春节，他们的爸爸和妈妈也会给他们红包。同样，在圣诞节的时候，香港的家家户户也都会在家里摆圣诞树，家人互相送圣诞礼物，给朋友写圣诞卡等等。

现在的地球已经变成了“地球村”。不同国家的人们的沟通和交流越来越方便，中西方的文化交流也越来越多。我觉得中西方节日的互相影响是一件好事，这可以让我们更加了解和尊重别人的文化。

明天学校让我们穿上节日的服装去学校，我会穿一件唐装。不知道我的朋友们会穿什么样的服装呢？

话题 2：传统文化习俗

模拟练习

你和父母在英国生活。今年你跟随学校游学团来到中国，并第一次在中国过春节。给你的父母写一封信，谈谈你过春节的经历。

字数：100–120 个汉字。满分为 8 分，其中内容占 3 分，语言占 5 分。

在信中，你必须谈到：

- 在中国过春节的气氛怎么样
- 春节有什么传统习俗
- 春节有什么传统食物

答题技巧

1. 审清题意：理解情景，把握关键词，找到受众和文体格式

   情景：在中国过春节

   关键词：气氛 / 传统习俗 / 传统食物

受众：父母

文体格式：私人信件

2. **内容建构：根据关键词构思内容，内容必须覆盖全部提示性问题**

气氛：描写春节的气氛，比如热闹、喜气洋洋等

习俗：介绍春节的传统习俗，比如贴春联、吃团圆饭、拜年、给压岁钱等

食物：介绍春节的传统食物，比如饺子、年糕、糖果、橘子等

3. **语言运用：文通字顺，词语使用广泛，段落结构清晰**

适当运用较复杂的语言结构，注意词语搭配。恰当使用连接词，让语句、段落衔接自然。标点符号准确，字迹工整。

高分范文

亲爱的爸爸、妈妈：

你们好！很久没见了，非常想你们。

这是我在中国过的第一个春节，非常热闹。春节也叫中国新年，是中国人最重要的传统节日。春节每年的时间都不一样：有时候在一月，有时候在二月，但是，都是农历的一月初一。春节一共有十五天，春节的最后一天也叫元宵节。

春节的时候，中国人会说“过年好”“春节快乐”等等。他们还说一些希望发财、好运的吉利话，比如“恭喜发财”。春节的时候，中国人要大扫除、拜年、贴“春”字或“福”字，还要倒过来贴，意思是“春天到了”“福到了”。春节的时候，中国人要穿新衣服，最好是红色或金色的衣服。他们在除夕，也就是过去一年的最后一个晚上，要吃年夜饭。年夜饭有饺子、鱼、年糕等等。吃鱼的意思是“年年有余”，吃年糕的意思是“年年高升”。春节的时候，中国人还有一个习惯，那就是给小孩子发红包。红包就是一个里面有钱的红色或金色的信封。我最喜欢这个习俗了，因为我是小孩子，所以我每年春节都可以收到很多钱。

祝你们身体健康！

小红

2018 年 2 月 3 日

话题 3：饮食文化

模拟练习

你的朋友杰克是美国人，他正在学习中文。他很喜欢中国文化，也爱吃中国菜。他发了一封电子邮件给你，希望你介绍一下中国的节日。给杰克回一封电子邮件。

字数：100–120 个汉字。满分为 8 分，其中内容占 3 分，语言占 5 分。

在电子邮件中，你必须：

- 介绍两个中国的传统节日
- 这些节日的传统食物
- 庆祝这些节日有什么习俗

答题技巧

1. **审清题意：理解情景，把握关键词，找到受众和文体格式**
   情景：介绍中国的节日
   关键词：两个中国的传统节日 / 传统食物 / 习俗
   受众：朋友杰克
   文体格式：电子邮件
2. **内容建构：根据关键词构思内容，内容必须覆盖全部提示性问题**
   两个中国的传统节日：根据自己的经验，选择两个熟悉的中国传统节日，可以是春节、中秋节、端午节、清明节等
   传统食物：描写与节日对应的传统食物，包括味道、食材、做法、含义等
   习俗：简单介绍一两种相对应的节日庆祝活动
3. **语言运用：文通字顺，词语使用广泛，段落结构清晰**
   适当运用较复杂的语言结构，注意词语搭配。恰当使用连接词，让语句、段落衔接自然。标点符号准确，字迹工整。

高分范文

发件人：王小朋 /xiaopeng@gmail.com

收件人：杰克 /jack@gmail.com

主题：中国的节日

时间：2018 年 4 月 27 日

杰克：

你好！好久不见！你最近中文学得怎么样？我今天来向你介绍两个中国传统节日——端午节和中秋节吧！

端午节是我最喜欢的传统节日，是在农历的五月初五，也就是每年的五月底六月初的时候。我特别喜欢端午节的粽子，有甜的，有咸的，不管什么口味的都特别好吃！另外，我每年都参加龙舟比赛，因为我觉得赛龙舟不仅有趣、热闹，还能让我一直保持身体健康。

中秋节在每年农历的八月十五日，大概是九月或十月的时候。中秋节是一个中国人团圆的日子，月亮总是又大又圆。每家每户都会共聚天伦，全家老小一起赏月，吃月饼。小孩子会拿着各式各样的灯笼跑来跑去，开心极了！

怎么样？这两个中国的传统节日都很有意思吧？要是有机会的话，欢迎你亲自来体验一下！

祝好！

小朋

练习题库

1. 上个星期是你们学校的“中国周”。写一篇日记，谈谈当天的活动。

   字数：100–120 个汉字。满分为 8 分，其中内容占 3 分，语言占 5 分。

   在日记中，你必须谈到：

   - 学校举办“中国周”的目的
   - “中国周”有什么活动
   - 同学的反应

2. 今天是中秋节，你和家人一起庆祝。写一篇日记，记录一下今天你做了什么。

   字数：100–120 个汉字。满分为 8 分，其中内容占 3 分，语言占 5 分。

在日记中，你必须谈到：

- 你和家人一起做了什么
- 中秋节有什么传统
- 你的感受是什么

3. 你最近看了一个讲美国青少年成长的电影。给在外地出差的妈妈写一封电子邮件，告诉她你对这个电影的看法。

字数：100–120 个汉字。满分为 8 分，其中内容占 3 分，语言占 5 分。

在电子邮件中，你必须谈到：

- 电影的名字
- 电影的主要内容
- 看完电影后你的感想

4. 春节快到了。给你在澳大利亚的朋友写一封电子邮件，告诉朋友你是怎么过春节的。

字数：100–120 个汉字。满分为 8 分，其中内容占 3 分，语言占 5 分。

在电子邮件中，你必须谈到：

- 写这封电邮的目的
- 你住的地方是怎么庆祝春节的
- 你的家人是怎么庆祝春节的

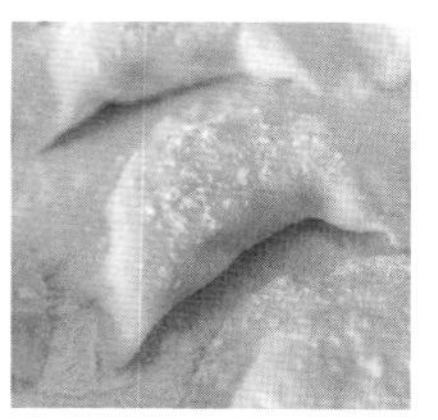

5. 你的爸爸是英国人，妈妈是中国人。给你的朋友写封电子邮件，告诉朋友你家的饮食习惯是怎样的。

字数：100–120 个汉字。满分为 8 分，其中内容占 3 分，语言占 5 分。

在电子邮件中，你必须谈到：

- 你家早餐通常吃什么
- 你家晚餐通常吃什么
- 你喜欢吃什么

6. 今天在学校老师教你们包饺子。写一篇日记，记录一下这个活动。

字数：100–120个汉字。满分为8分，其中内容占3分，语言占5分。

在日记中，你必须谈到：

- 你们为什么要包饺子
- 怎么包饺子
- 你对这个活动有什么感想

7. 明天是学校的“国际日”，老师鼓励学生穿自己国家的传统服装上学。给朋友写一封电子邮件，讨论一下明天穿什么衣服。

字数：100–120个汉字。满分为8分，其中内容占3分，语言占5分。

在电子邮件中，你必须谈到：

- 你准备穿什么样的衣服上学
- 为什么要选这个颜色的衣服
- 你对“国际日”有什么期待

8. 今天是端午节，爸爸带你去看了龙舟比赛。给在外地出差的妈妈写一封信，告诉她龙舟比赛的情况。

字数：100–120个汉字。满分为8分，其中内容占3分，语言占5分。

在信中，你必须谈到：

- 在哪儿看的龙舟比赛
- 比赛场地的气氛怎么样
- 你对龙舟比赛有什么看法

主题高频词

词语	拼音	英文	词语	拼音	英文
节日	jié rì	festival	步步高升	bù bù gāo shēng	be promoted to a higher position
传统	chuán tǒng	tradition	身体健康	shēn tǐ jiàn kāng	the best of health

词语	拼音	英文	词语	拼音	英文
习俗	xí sú	custom	心想事成	xīn xiǎng shì chéng	good luck and great success
饮食	yǐn shí	food and drink	恭喜发财	gōng xǐ fā cái	prosperous
食物	shí wù	food	大年初一	dà nián chū yī	the first day of the Lunar calendar
庆祝	qìng zhù	celebrate	红包	hóng bāo	red packet
活动	huó dòng	activiites	清明节	qīng míng jié	Qing Ming Festival
装饰	zhuāng shì	decoration	祭拜祖先	jì bài zǔ xiān	to pay respect to ancestors
家家户户	jiā jiā hù hù	every household	扫墓	sǎo mù	graveside rituals
家庭	jiā tíng	family	中秋节	zhōng qiū jié	Mid-Autumn Festival
长辈	zhǎng bèi	elder	月亮	yuè liang	moon
亲朋好友	qīn péng hǎo yǒu	families and friends	赏月	shǎng yuè	to admire the full moon
中国人	zhōng guó rén	Chinese people	月饼	yuè bing	moon cake
春节	chūn jié	Spring Festival	团圆	tuán yuán	reunion
农历新年	nóng lì xīn nián	Lunar Chinese New Year	端午节	duān wǔ jié	Dragon Boat Festival
大扫除	dà sǎo chú	year-end clean-up	赛龙舟	sài lóng zhōu	dragon boat race
逛花市	guàng huā shì	to stroll around the flower market	粽子	zòng zi	rice dumpling
置办年货	zhì bàn nián huò	do the Chinese New Year shopping	西方人	xī fāng rén	western people
春联	chūn lián	spring couplet	圣诞节	shèng dàn jié	Christmas

词语	拼音	英文	词语	拼音	英文
除夕夜	chú xī yè	Chinese New Year Eve	聚会	jù huì	gathering
年夜饭	nián yè fàn	Spring Festival dinner	圣诞大餐	shèng dàn dà cān	Christmas feast
饺子	jiǎo zi	dumpling	烤火鸡	kǎo huǒ jī	roasted turkey
年糕	nián gāo	rice cake	圣诞卡片	shèng dàn kǎ piàn	Christmas card
祝贺	zhù hè	to congratulate	交换礼物	jiāo huàn lǐ wù	to exchange gifts

第三节 议论性作文

主题一 年轻人和教育

优秀范例

话题 1：学校

模拟练习

题目一：学生会提议每个星期有一天推行“便服日”，同学们可以不穿校服上学。学生会要征求同学们的意见，给学生会主席写封电邮，告诉他你的看法。

以下是别人的观点，你可以参考，也可以提出自己的意见，但必须明确表示倾向。

字数：250–300 个汉字。满分为 22 分，其中内容占 10 分，语言占 12 分。

鼓励同学们彰显个性，展现自我风格。

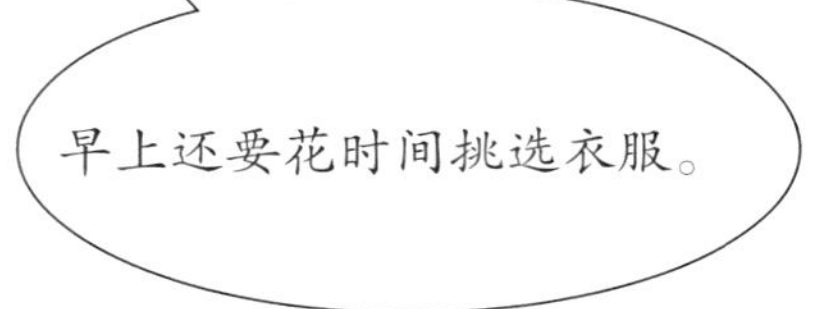

答题技巧

1. 审清题意：理解情景，把握关键词，找到议论性的话题、受众和文体格式

   议论性的话题：学生会提议每星期有一天推行“便服日”

   受众：学生会主席

   文体：电子邮件

2. **内容构建：确定立场，利用题目中的提示信息，拓展观点**

你的立场：支持	你的立场：反对
可利用的提示信息：鼓励同学们彰显个性，展现自我风格。	可利用的提示信息：早上还要花时间挑选衣服。
补充其他观点，使内容充足，有理有据。	补充其他观点，使内容充足，有理有据。

注意你的立场要有明确的倾向性，只可持一方观点。

3. **安排结构：整体构思，理清思路，段落结构清晰合理**

文章结构完整，层次分明，恰当使用连接词，让段落衔接自然。

4. **语言运用：行文流畅，语言表达准确、丰富**

词语准确、丰富，适当运用较复杂的语言结构，注意词语搭配。标点符号准确，字迹工整。

思维导图

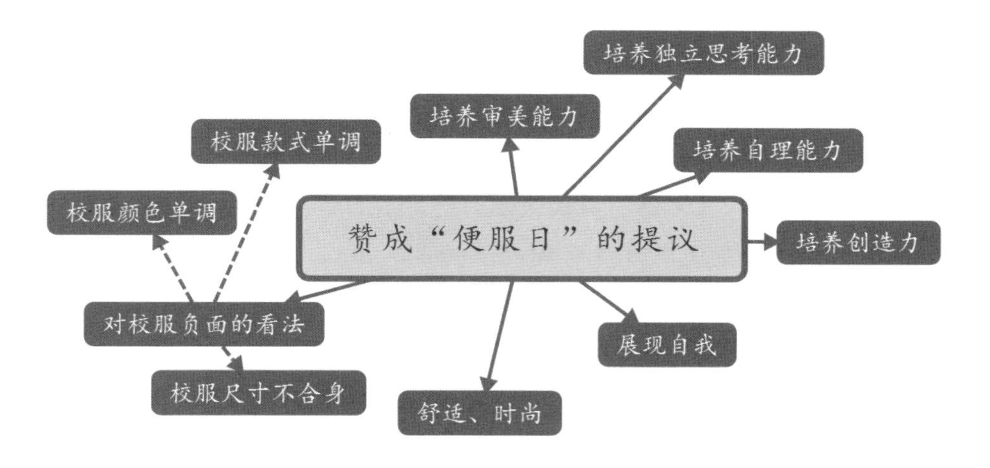

高分范文

发件人：李明 /liming@hotmail.com

收件人：学生会 /studentunion@gmail.com

主题：便服日

日期：2018 年 5 月 25 日

学生会主席：

你好！我听说学生会提议每个星期有一天是“便服日”，同学们可以不用穿校服上学。我想跟你说一说我的看法，我个人非常赞成这个提议。

引出话题，表明自己的观点：赞成“便服日”这个提议。

首先，我认为穿自己的衣服更舒适、也更时尚。我们的校服款式、颜色都有些单调，有些同学的校服尺寸也没那么合身，而且这身校服我们每个人都要从入学穿到毕业。如果每星期有一天我们能穿着自己喜欢的衣服上学，同学们会更享受校园生活。

解释第一个原因：穿便服更舒适、时尚。

除此之外，每星期一天的“便服日”是同学们展现自我风格的机会。现在的时代鼓励个性发展，注重培养独立思考能力和创造力。每个人都是不同的，而天天穿着统一样式的校服让同学们不能彰显个性，更不利于培养审美能力。

解释第二个原因：穿便服可以展现出自我风格。

我知道有些人反对这一提议，他们觉得早上起床后还要挑选衣服是很浪费时间的。但是我不同意，学生应该培养好自理能力，衣服和书包都应该前一晚准备好，而不是早上起来再考虑穿什么。

先提出反对的看法，再进行反驳。

综上所述，我认为“便服日”这个提议很人性化，也有利于学生的个性发展。我非常赞成推行“便服日”。

总结上文提出的原因，重申自己的观点。

祝你学业进步！

十年级学生：李明

模拟练习

题目二：你的学校规定学生不能在教室里使用手机。给校报写一篇文章，谈一谈你的看法。

以下是别人的观点，你可以参考，也可以提出自己的意见，但必须明确表示倾向。

字数：250–300 个汉字。满分为 22 分，其中内容占 10 分，语言占 12 分。

上课时使用手机会影响学习。

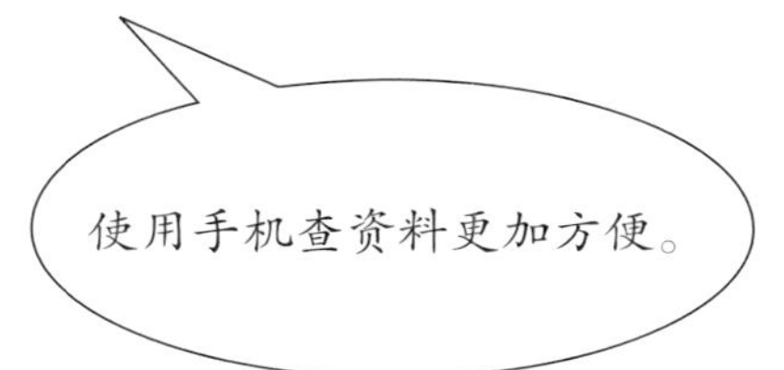

答题技巧

1. **审清题意：理解情景，把握关键词，找到议论性的话题、受众和文体格式**

   议论性的话题：学生不能在教室里使用手机

   受众：学生、老师、校长、家长

   文体：校报文章

2. **内容构建：确定立场，利用题目中的提示信息，拓展观点**

   你的立场：支持

   可利用的提示信息：上课时使用手机会影响学习。

   补充其他观点，使内容充足，有理有据。

   你的立场：反对

   可利用的提示信息：使用手机查资料更加方便。

   补充其他观点，使内容充足，有理有据。

   注意你的立场要有明确的倾向性，只可持一方观点。

3. **安排结构：整体构思，理清思路，段落结构清晰合理**

   文章结构完整，层次分明，恰当使用连接词，让段落衔接自然。

4. **语言运用：行文流畅，语言表达准确、丰富**

   词语准确、丰富，适当运用较复杂的语言结构，注意词语搭配。标点符号准确，字迹工整。

思维导图

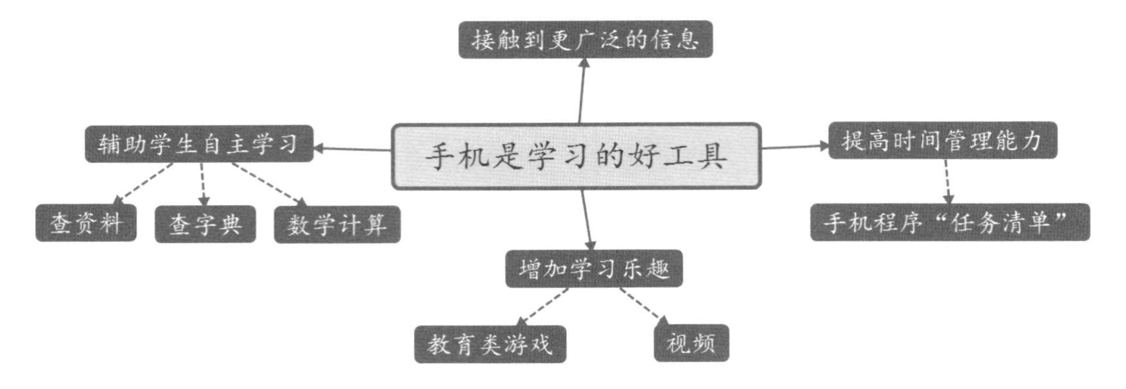

高分范文

学习的好工具——手机

作者：李妍（十年级）

手机已经成为我们生活的必需品，中学生人人都有手机。现在手机的功能很多，可以上网、听音乐、发电邮等等。我们学校一直不允许学生在教室里使用手机，因为担心手机会让学生分心，影响学习。但我认为这则校规现在看来已经“落伍”了。

引出话题，表明自己的观点：校规已经“落伍”了。

首先，手机可以让我们接触到更广泛的信息，而且很多功能都可以辅助学生自主学习。比如，用手机查找资料非常方便；遇到不认识的生词可以用手机查字典；在数学课上也可以把手机当成计算器使用。另外，我们还能下载一些提高学习效率的小程序。我每天都使用的一个手机程序是“任务清单”，我先输入那一天待完成的功课，然后每完成一项就在功课旁打勾，这样一天下来我就能清楚地看到自己有没有按照计划完成所有功课。这个程序还能自动记录完成每项任务的用时，为了保持记录

举例说明第一个原因：手机可以用来辅助学习。

准确，我在做功课的时候都不敢分神。我觉得我的"拖延症"就是这样被慢慢治好的，而且专注力也提高了。

其次，用手机学习可以增加学习的乐趣。手机上有很多教育类的小游戏，有的游戏可以帮助学生学习生词，我们还可以跟同班同学比赛记单词，老师也能即时看到学生的成绩。手机上还有一些有趣的视频，帮助我们理解晦涩难懂的概念，让我们更好地掌握知识。手机的这些功能都可以激发学习兴趣，让学生边玩儿边学。

举例说明第二个原因：用手机学习可以增加乐趣。

由此可见，很多学习活动是可以利用手机完成的，而手机强大的功能性也为我们带来了便利，提高了学习效率。因此，我认为学校不应该再禁止我们带手机进教室。

总结上文提出的原因，重申自己的观点。

话题 2：教育

模拟练习

题目一：很多家长给孩子安排了各种各样的课外学习班，写一篇演讲稿，谈谈你对学生上课外学习班的看法。

以下是别人的观点，你可以参考，也可以提出自己的意见，但必须明确表示倾向。

字数：250–300 字。满分为 22 分，其中内容占 10 分，语言占 12 分。

知识更加牢固，帮助学生应付考试。

学生感到很累，加重学习负担。

答题技巧

1. 审清题意：理解情景，把握关键词，找到议论性的话题、受众和文体格式

   议论性的话题：学生上课外学习班

   受众：学生、老师、校长、家长

   文体：演讲稿

2. 内容构建：确定立场，利用题目中的提示信息，拓展观点

你的立场：支持	你的立场：反对
可利用的提示信息：知识更加牢固，帮助学生应付考试。	可利用的提示信息：学生感到很累，加重学习负担。
补充其他观点，使内容充足，有理有据。	补充其他观点，使内容充足，有理有据。

   注意你的立场要有明确的倾向性，只可持一方观点。

3. 安排结构：整体构思，理清思路，段落结构清晰合理

   文章结构完整，层次分明，恰当使用连接词，让段落衔接自然。

4. 语言运用：行文流畅，语言表达准确、丰富

   词语准确、丰富，适当运用较复杂的语言结构，注意词语搭配。标点符号准确，字迹工整。

思维导图

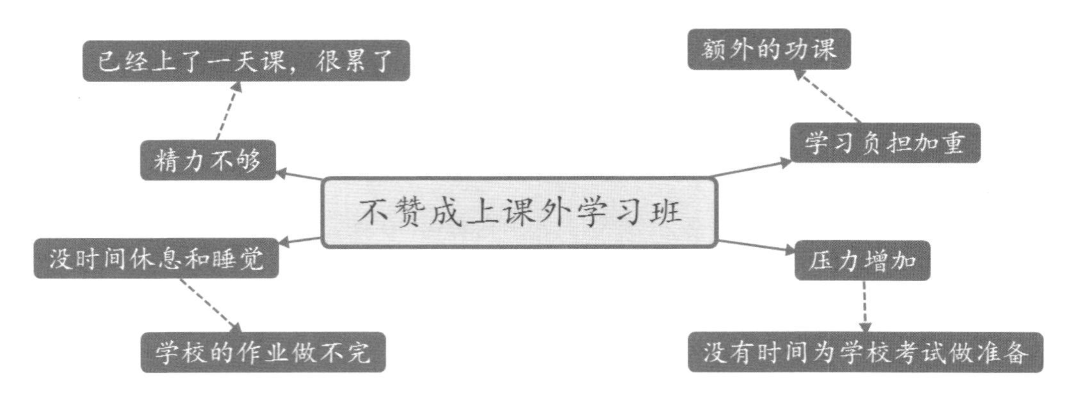

高分范文

老师们、同学们：

大家好！我知道身边有很多同学放学以后要去参加家长为他们安排的课外学习班，有些同学甚至周末也要上课。我不赞成这种做法。

引出话题，表明自己的观点：不赞成这种做法。

首先，我们每天的上学时间是早上八点到下午三点半，在校期间已经是一节课接着一节课上，脑子忙着吸收各科的知识，放学时大家都感觉很累了。如果还要参加课外学习班，我们的精力也会不够用，上学习班的时候可能很难集中注意力，学习效果并不理想。

解释第一个原因：精力会不够用，学习效果不理想。

另外，我们每天回到家还有很多功课要做，如果是考试前还要花很多时间复习。相信很多同学都和我一样，有过做功课做到凌晨的经历。参加课外学习班会让我们做功课做到更晚。这样我们的学习负担加重，压力增加，休息、睡眠的时间大大减少。长久来看，一定会影响学生的健康。

解释第二个原因：影响身体健康。

虽然家长认为参加课外学习班可以让学生的知识更牢固，帮助我们应付考试，但是并不是一味地坐在教室里上课就能够好好地学习。我们应该做到劳逸结合，要学习好也要休息好。只有合理地安排好作息时间才能真正提高学习效率。

先提出家长赞成上学习班的看法，再进行反驳。

总结来说，参加课外学习班不能保证让我们学得更好，还可能影响我们的身体健康。因此，我不赞成学生参加课外学习班。

总结上文提出的原因，重申自己的观点。

模拟练习

题目二：越来越多的中学生去外国读寄宿学校，在校报上写一篇文章，谈一谈你的看法。

以下是别人的观点，你可以参考，也可以提出自己的意见，但必须明确表示倾向性。

字数：250–300 字。满分为 22 分，其中内容占 10 分，语言占 12 分。

去外国读寄宿学校学费昂贵，加重父母的经济负担。

可以增长见闻，提高英语水平。

答题技巧

1. 审清题意：理解情景，把握关键词，找到议论性的话题、受众和文体格式

   议论性的话题：中学生去外国读寄宿学校

   受众：学生、老师、校长、家长

   文体：校报文章

2. 内容构建：确定立场，利用题目中的提示信息，拓展观点

你的立场：支持	你的立场：反对
可利用的提示信息：可以增长见闻，提高英语水平。	可利用的提示信息：去外国读寄宿学校学费昂贵，加重父母的经济负担。
补充其他观点，使内容充足，有理有据。	补充其他观点，使内容充足，有理有据。

   注意你的立场要有明确的倾向性，只可持一方观点。

3. 安排结构：整体构思，理清思路，段落结构清晰合理

   文章结构完整，层次分明，恰当使用连接词，让段落衔接自然。

4. 语言运用：行文流畅，语言表达准确、丰富

   词语准确、丰富，适当运用较复杂的语言结构，注意词语搭配。标点符号准确，字迹工整。

思维导图

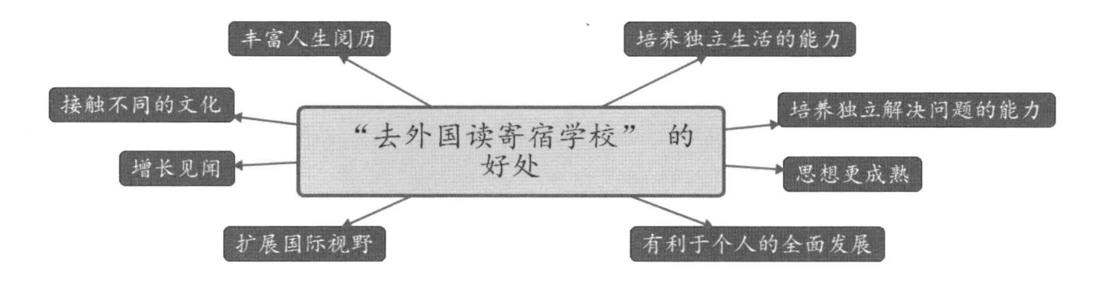

高分范文

去外国读寄宿学校的好处

作者：王晓然（十年级）

现在，越来越多的中学生去外国读寄宿学校。虽然有些家长担心孩子年纪太小，去外国读书、生活不能好好照顾自己，但是我个人认为，中学生去外国读寄宿学校是一个非常正确的选择。

引出话题，表明自己的观点：中学生去外国读寄宿学校是正确的选择。

首先，去外国读书可以丰富我们的人生阅历，增长见闻。很多外国寄宿学校为学生提供多元化的课程，注重兴趣爱好的培养。学生在参加各类活动的过程中，不但能够提高自己的沟通、合作能力，也可以认识更多跟自己志同道合的好朋友，扩大社交圈子。另外，外国寄宿学校有来自世界各地的学生，我们可以接触到不同的文化，扩展国际视野。

解释第一个原因：丰富阅历，增长见闻。

其次，去外国读寄宿学校也可以培养学生独立生活的能力。现在很多父母过度保护孩子，事无巨细，替孩子安排好一切，不少青少年养成了衣来伸手、饭来张口的生活习惯，自理能力比较差。如果去外国读寄宿学校，父母不在身边，生活起居都要靠我们自己打理，还要兼顾学业；遇到困难也要自己克服。因此，学生独立生活、解决问题的能力会

解释第二个原因：培养独立生活的能力。

日渐提高，思想也会更成熟，这为我们将来走向社会做好了准备。

尽管有些人觉得中学生年龄还小，一个人去外国读书难免会想家，当遇到问题时，举目无亲会感觉很无助。但是我们在新的环境里会认识新的朋友，如果有困难也会向老师、同学求助；而且现在科技很发达，用手机、电脑都可以很容易地与家人保持联系。

先提出有些人的顾虑，再进行反驳。

总结来说，中学生去外国读寄宿学校是一个明智之选，因为这段经历可以让我们有更加丰富的人生，也能提高我们各方面的能力，有利于个人的全面发展。

总结上文提出的原因，重申自己的观点。

话题 3：未来的计划

模拟练习

题目一：现在不少年轻人在毕业以后并不着急找工作或者升学，而是选择"间隔年"，就是用一年时间旅行、打工，体验不同的生活方式。写一篇博客，谈谈你对"间隔年"的看法。

以下是别人的观点，你可以参考，也可以提出自己的意见，但必须明确表示倾向。

字数：250–300 字。满分为 22 分，其中内容占 10 分，语言占 12 分。

可以带我们认识世界，丰富人生阅历。

逃避现实，旅行中只是在吃喝玩乐。

答题技巧

1. **审清题意：理解情景，把握关键词，找到议论性的话题、受众和文体格式**

   议论性的话题：年轻人毕业以后选择“间隔年”

   受众：公众

   文体：博客

2. **内容构建：确定立场，利用题目中的提示信息，拓展观点**

   你的立场：支持

   可利用的提示信息：可以带我们认识世界，丰富人生阅历。

   补充其他观点，使内容充足，有理有据。

   你的立场：反对

   可利用的提示信息：逃避现实，旅行中只是在吃喝玩乐。

   补充其他观点，使内容充足，有理有据。

   注意你的立场要有明确的倾向性，只可持一方观点。

3. **安排结构：整体构思，理清思路，段落结构清晰合理**

   文章结构完整，层次分明，恰当使用连接词，让段落衔接自然。

4. **语言运用：行文流畅，语言表达准确、丰富**

   词语准确、丰富，适当运用较复杂的语言结构，注意词语搭配。标点符号准确，字迹工整。

思维导图

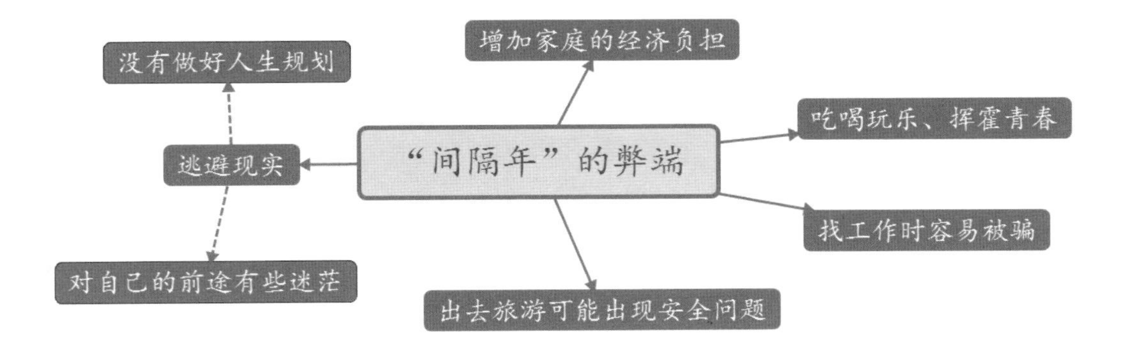

高分范文

http://blog.sina.com.cn/xiaowangblog

小王的博客

间隔年 （2018-06-05 10:30:00）

最近我和朋友聊天儿才知道，原来有不少年轻人在毕业后并不着急升学或者找工作，而是用大概一年时间去体验不同的生活方式，他们有的去长途旅行，有的去打工，还有的去当志愿者。这就是他们说的“间隔年”。然而，我认为“间隔年”只是看上去很美好，过程可能不如我们想象地那么多姿多彩。今天我要谈谈“间隔年”的弊端。

引出话题，表明自己的观点：“间隔年”有弊端。

首先，我认为一些年轻人选择“间隔年”是在逃避现实。由于没有做好人生规划，他们毕业以后的出路并不明朗。因此，他们以丰富人生阅历为理由开始了“间隔年”，实际上是想延迟面对问题，逃避压力与现实。在旅途中，他们大部分时间都在吃喝玩乐，挥霍青春。二十岁左右的年纪是学习能力和记忆能力最强的时期，年轻人不应该在这段时间远离校园，浪费学习的机会。

解释第一个弊端：年轻人选择“间隔年”是逃避现实。

另外，年轻人选择“间隔年”增加了家庭的经济负担。虽然有些年轻人会一边打工一边旅行，但是打工的收入通常很难负担全部的生活开支，他们还是要靠父母的经济支持才能生存。年轻人缺少丰富的社会经验，在打工的时候也很容易被欺骗或剥削，甚至会出现安全问题。另外，部分年轻人过惯了安逸的生活，他们在“间隔年”的时候也不愿意降低生活质量，这给父母增加了额外的经济压力。

解释第二个弊端：“间隔年”增加了家庭的经济负担。

年轻人要知道，“间隔年”不是一次任性的旅行，你逃避的问题在“间隔年”结束以后仍然要面

建议年轻人谨慎选择“间隔年”。

对，一定要有清晰的人生目标和周密的计划才能使“间隔年”成为一段宝贵的经历。我建议年轻人慎重选择“间隔年”。

如果你也对这个话题感兴趣，欢迎在下面给我留言。

阅读（20）| 评论（10）| 收藏（5）| 转载（10）| 喜欢▼ | 打印

模拟练习

题目二：很多中学生毕业以后去外国留学。给校报写一篇文章，谈一谈你的看法。

以下是别人的观点，你可以参考，也可以提出自己的意见，但必须明确表示倾向。

字数：250–300 个汉字。满分为 22 分，其中内容占 10 分，语言占 12 分。

可以锻炼独立生活的能力。

在陌生的环境里会感到孤独无助，影响学习。

答题技巧

1. **审清题意：理解情景，把握关键词，找到议论性的话题、受众和文体格式**

   议论性的话题：中学生毕业以后去外国留学

   受众：学生、老师、校长、家长

   文体：校报文章

2. **内容构建：确定立场，利用题目中的提示信息，拓展观点**

你的立场：支持	你的立场：反对
可利用的提示信息：可以锻炼独立生活的能力。	可利用的提示信息：在陌生的环境里会感到孤独无助，影响学习。
补充其他观点，使内容充足，有理有据。	补充其他观点，使内容充足，有理有据。

   注意你的立场要有明确的倾向性，只可持一方观点。

3. 安排结构：整体构思，理清思路，段落结构清晰合理

文章结构完整，层次分明，恰当使用连接词，让段落衔接自然。

4. 语言运用：行文流畅，语言表达准确、丰富

词语准确、丰富，适当运用较复杂的语言结构，注意词语搭配。标点符号准确，字迹工整。

思维导图

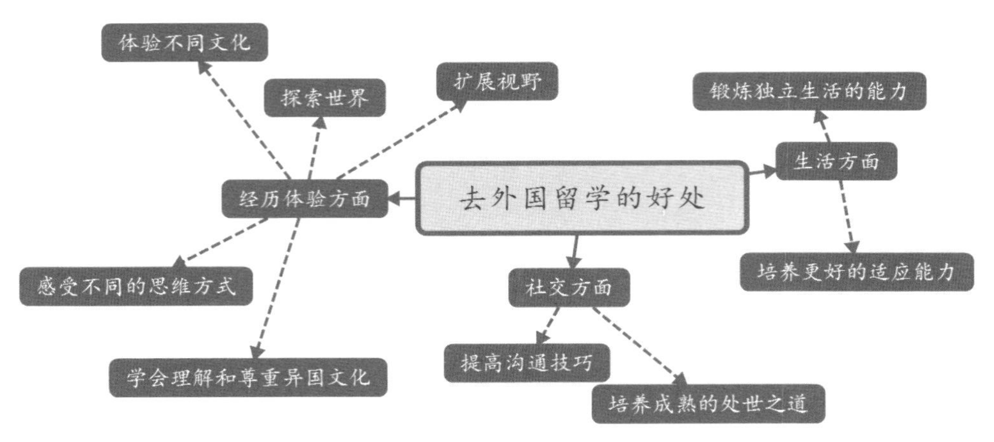

高分范文

去外国留学的好处

作者：王征（十一年级）

很多中学生选择毕业以后去外国留学，"应不应该去留学"也因此成为了校园里最常讨论的话题。我个人认为应该支持中学生毕业后去外国留学，具体有以下几个原因：

引出话题，表明自己的观点：支持中学生毕业后去外国留学。

首先，去外国留学是年轻人扩展视野、探索世界的机会。留学期间，年轻人沉浸在异国文化中，亲身接触当地人的饮食、起居、交往等生活习惯，这是单纯去当地旅行所体验不到的。另外，在跟来自世界各地的同学、老师的交流中，年轻人可以进一步感受到不同文化和思维方式之间的差异，学会

解释第一个原因：扩展视野、探索世界。

理解、尊重异国文化，并提高自己的沟通技巧。

其次，去外国留学也可以锻炼年轻人独立生活的能力。离开了父母的照顾，年轻人在异乡生活只能学会独立。凡事都要靠他们自己谨慎思考、做出选择，生活上遇到麻烦事也要独自处理。有了在外国独立生活的经验，未来年轻人在职场上也更有优势。他们拥有更成熟的处世之道，面对不熟悉的环境或突发情况时，也可以比别人更快适应。

解释第二个原因：锻炼独立生活的能力。

也许还有一些父母不放心让孩子独自去外国留学，但是父母不能做孩子永远的“保护伞”，应该适时放手，让孩子渐渐独立。年轻人也要怀着开放的心态，努力融入新的环境，在当地结识更多的朋友，这样遇到问题时才不会孤立无助。

先提出一些父母的顾虑，再进行反驳。

总结来说，去外国留学可以是人生一段宝贵的经历，更为年轻人的成长带来很多好处。因此，我非常支持中学生毕业后去外国留学。

重申自己的观点。

话题4：友谊

模拟练习

题目一：有的人认为“朋友在精不在多”，但有的人认为“多个朋友多条路”。给校刊写一篇文章，谈谈你的看法。

以下是别人的观点，你可以参考，也可以提出自己的意见，但必须明确表示倾向。

字数：250–300个汉字。满分为22分，其中内容占10分，语言占12分。

只有兴趣爱好一致的人才能当朋友。

朋友太少，遇到困难时就不会有很多人帮助你。

答题技巧

1. 审清题意：理解情景，把握关键词，找到议论性的话题、受众和文体格式

   议论性的话题："朋友在精不在多"还是"多个朋友多条路"

   受众：学生、老师、校长、家长

   文体：校刊文章

2. 内容构建：确定立场，利用题目中的提示信息，拓展观点

你的立场：支持"朋友在精不在多"	你的立场：支持"多个朋友多条路"
可利用的提示信息：只有兴趣爱好一致的人才能当朋友。	可利用的提示信息：朋友太少，遇到困难时就不会有很多人帮助你。
补充其他观点，使内容充足，有理有据。	补充其他观点，使内容充足，有理有据。

   注意你的立场要有明确的倾向性，只可持一方观点。

3. 安排结构：整体构思，理清思路，段落结构清晰合理

   文章结构完整，层次分明，恰当使用连接词，让段落衔接自然。

4. 语言运用：行文流畅，语言表达准确、丰富

   词语准确、丰富，适当运用较复杂的语言结构，注意词语搭配。标点符号准确，字迹工整。

思维导图

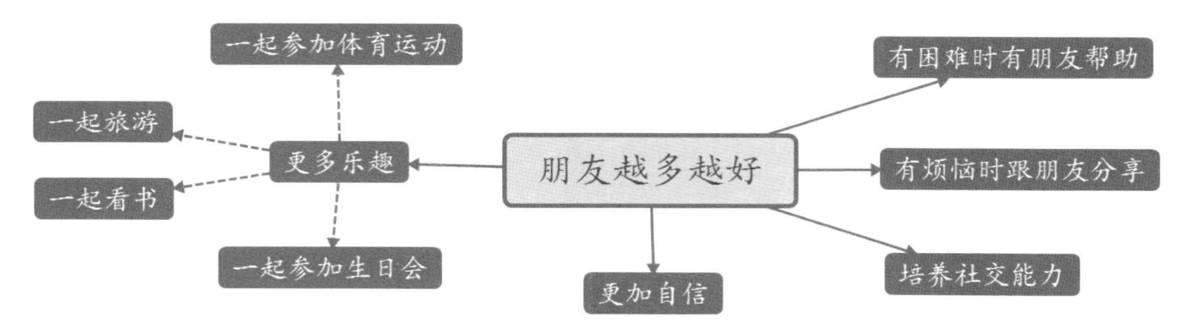

高分范文

交朋友

作者：李文琪（十一年级）

生活中，我们离不开朋友。虽然有的人认为“朋友在精不在多”，他们非常慎重地选择益友。但是我不认同，我认为“多个朋友多条路”，朋友应该是越多越好，青少年应该广泛交友。

引出话题，表明自己的观点：认为“多个朋友多条路”。

第一，多交朋友可以让我们的生活有更多的乐趣。每个人的性格都不一样，有的人聪明、学习成绩好，有的人喜欢做运动，有的人说话风趣，有的人性格安静、喜欢看书……和不同的人做朋友可以让我们的生活更加多姿多彩。比如，我们可以约朋友一起参加体育运动，或者一起去旅行，一起看相同的书等等。开生日会的时候，如果我们能邀请到很多朋友来参加的话，生日会的气氛就会更热闹。

解释第一个原因：让生活有更多的乐趣。

第二，如果朋友太少，那遇到困难的时候就不会有很多人帮助你。中国有句俗话，“在家靠父母，出门靠朋友。”在学校，当遇到烦恼时，我们首先想到的就是跟朋友倾诉，朋友可以开导我们，也可以给我们一些解决问题的建议。如果没有很多朋友，我们往往会感到无助，陷入困境。

解释第二个原因：遇到困难时朋友可以帮助我们。

有些人选择和兴趣爱好一致的人做朋友，当然，这样他们和朋友相处起来比较轻松，聊天儿时也有很多共同的话题。但是，这样反而限制了自己的社交圈子，也限制了自己认识不同朋友的可能性。如果广泛地选择朋友，我们就可以获得更多的信息，也可能受不同朋友的影响培养新的爱好。这样还能培养我们的社交能力，人也会变得比较自信。

先提出另一边的看法，再进行反驳。

因此，我认为青少年应该广泛结交朋友。

重申自己的观点。

模拟练习

题目二：在中文课上，你们讨论了“如何选择朋友”这个话题。写一篇博客，谈谈在选择朋友时，是性格相似好还是性格互补好。

以下是别人的观点，你可以参考，也可以提出自己的意见，但必须明确表示倾向。

字数：250–300个汉字。满分为22分，其中内容占10分，语言占12分。

和性格相似的人做朋友不容易起争执。

性格互补的人做朋友可以互相帮助。

答题技巧

1. **审清题意：理解情景，把握关键词，找到议论性的话题、受众和文体格式**

   议论性的话题：在选择朋友时，是性格相似好还是性格互补好

   受众：公众

   文体：博客

2. **内容构建：确定立场，利用题目中的提示信息，拓展观点**

   你的立场：支持“性格相似好”

   可利用的提示信息：和性格相似的人做朋友不容易起争执。

   补充其他观点，使内容充足，有理有据。

   你的立场：支持“性格互补好”

   可利用的提示信息：性格互补的人做朋友可以互相帮助。

   补充其他观点，使内容充足，有理有据。

   注意你的立场要有明确的倾向性，只可持一方观点。

3. **安排结构：整体构思，理清思路，段落结构清晰合理**

   文章结构完整，层次分明，恰当使用连接词，让段落衔接自然。

4. **语言运用：行文流畅，语言表达准确、丰富**

   词语准确、丰富，适当运用较复杂的语言结构，注意词语搭配。标点符号准确，字迹工整。

思维导图

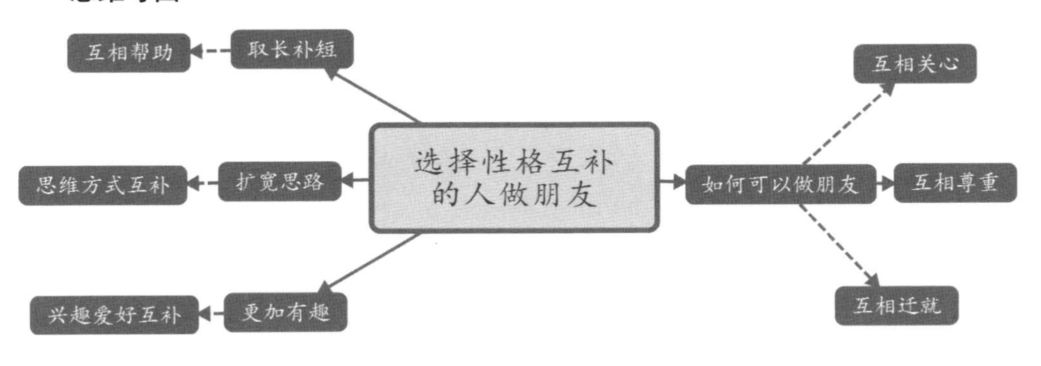

高分范文

http://blog.sina.com.cn/wangmingblog

王明的博客

如何选择朋友　（2018-05-14 17:35:21）

今天，我和同学们在中文课上讨论了该如何选择朋友：是性格相似好还是性格互补好？我个人觉得应该选择性格互补的人做朋友。

引出话题，表明自己的观点：选择性格互补的人做朋友。

首先，和性格互补的人做朋友可以取长补短。就拿我自己来说吧，我是一个不折不扣的急性子，但我最好的朋友小华偏偏和我相反，他说话、做事都比较慢。遇到问题时，小华总会提醒我不要着急，要先把问题考虑清楚再想办法解决，我也慢慢养成了"三思而后行"的好习惯。同样的，在小华磨磨蹭蹭做作业时，我也会提醒他要抓紧时间、主次分明，免得每天都得熬夜才能完成作业。渐渐地，小华的学习效率也开始提高了。

举例说明第一个原因：可以取长补短。

其次，和性格互补的人相处更加有趣。性格相似的人往往思维方式也比较相像，当遇到困难时也容易在同一个死胡同里打转。性格互补的人思维方式相差较大，反而可以在交流中扩宽思路，更容易

对比说明第二个原因：相处起来更加有趣，可以开阔视野、增长见闻。

找到解决问题的办法。而且，性格差异大的人往往兴趣爱好也不同，这样在互相分享经历的过程中还能开阔视野、增长见闻。

有人觉得和性格相似的人做朋友不容易起争执，但我觉得不一定。打个比方，如果两个人的性格都固执，遇到问题时各持己见，都不愿意做出让步。这样，他们可能会因为一些鸡毛蒜皮的小事而争吵，甚至影响了友情。

先提出另一边的看法，再举例反驳。

总之，我认为交朋友时选择性格互补的人可以互相帮助，共同进步，在相处的过程中还能开阔视野。但别忘了，无论是性格相似的朋友还是性格互补的朋友，都要尊重对方，这样友谊才能长久。

总结上文提出的原因，重申自己的观点。

大家又是怎么看这个问题的呢？欢迎给我留言。

阅读（20）| 评论（3）| 收藏（5）| 转载（1）| 喜欢▼ | 打印

话题5：朋辈之间的压力和矛盾

模拟练习

题目一：你们学校打算在每个年级分快慢班，给校报写一篇文章，说说你的看法。

以下是别人的观点，你可以参考，也可以提出自己的意见，但必须明确表示倾向。

字数：250–300字。满分为22分，其中内容占10分，语言占12分。

可以根据学生的学习情况做出适当安排。

可能会给学生带来不必要的压力。

答题技巧

1. 审清题意：理解情景，把握关键词，找到议论性的话题、受众和文体格式

   议论性的话题：分快慢班

   受众：学生、老师、校长、家长

   文体：校报文章

2. 内容构建：确定立场，利用题目中的提示信息，拓展观点

你的立场：支持	你的立场：反对
可利用的提示信息：可以根据学生的学习情况做出适当安排。	可利用的提示信息：可能会给学生带来不必要的压力。
补充其他观点，使内容充足，有理有据。	补充其他观点，使内容充足，有理有据。

   注意你的立场要有明确的倾向性，只可持一方观点。

3. 安排结构：整体构思，理清思路，段落结构清晰合理

   文章结构完整，层次分明，恰当使用连接词，让段落衔接自然。

4. 语言运用：行文流畅，语言表达准确、丰富

   词语准确、丰富，适当运用较复杂的语言结构，注意词语搭配。标点符号准确，字迹工整。

思维导图

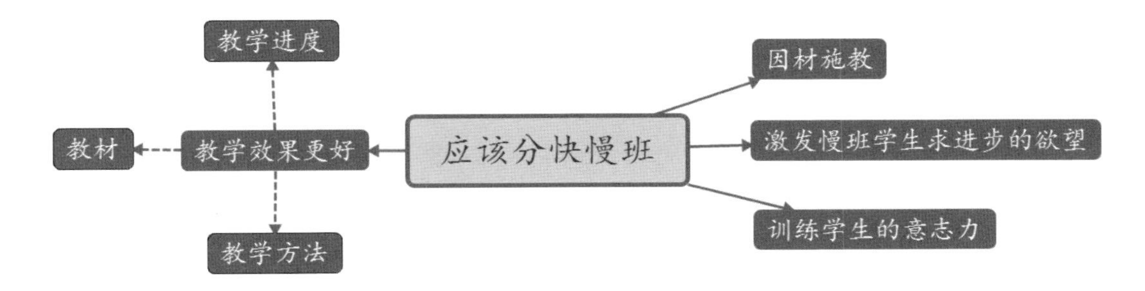

高分范文

分快慢班的好处

作者：王鸣（十年级）

我听说学校正在考虑在每个年级分快慢班。我非常支持这个做法。原因有以下几点：

引出话题，表明自己的观点：支持分快慢班这个做法。

首先，分快慢班可以把学习成绩差不多的学生安排在同一个班里，这样老师可以根据学生的不同特点调整教学速度、方法，甚至是采用不同的教材。有的学生学习能力强，老师可以教给他们更多的知识；有的学生知识吸收没那么快，老师也可以耐心教导他们。老师因材施教，教学效果更好。

解释第一个原因：老师可以更好地教学。

除了让老师可以更好地教学，分快慢班对学生的学习也有好处。虽然快慢班看上去有点儿不公平，但是可以发挥学生的长处、弥补不足。快班的学生可以多学一点儿，不会因为老师要照顾较慢的学生而被拖慢进度，慢班的学生也会为了争取进入快班而努力读书。这样，无论是快班还是慢班的学生都能够进步。

解释第二个原因：学生可以更好地学习。

有些人说分快慢班会给学生带来不必要的压力。这个说法是不对的。孩子上学的目的就是为未来的生活做好准备。学生长大以后工作时也一定会有很多压力，所以学生在学校也应该受点儿压力，这样才可以锻炼他们的意志力，确保他们在压力很大的情况下也可以好好儿工作。

先提出一些人反对的看法，再进行反驳。

总而言之，分快慢班既可以为老师和学生带来好处，也会训练学生们的意志力。因此，我非常支持学校在每个年级分快慢班这个做法。

总结上文提出的原因，重申自己的观点。

模拟练习

题目二：每次考完试，老师都要按成绩给学生排名次。写一篇日记，谈谈你的看法。

以下是别人的观点，你可以参考，也可以提出自己的意见，但必须明确表示倾向。

字数：250–300个汉字。满分为22分，其中内容占10分，语言占12分。

可以更清楚地了解自己的真实水平。

成绩落后的同学可能会感到焦虑。

答题技巧

1. **审清题意：理解情景，把握关键词，找到议论性的话题、受众和文体格式**

   议论性的话题：老师按成绩给学生排名

   受众：自己

   文体：日记

2. **内容构建：确定立场，利用题目中的提示信息，拓展观点**

   你的立场：支持

   可利用的提示信息：可以更清楚地了解自己的真实水平。

   补充其他观点，使内容充足，有理有据。

   你的立场：反对

   可利用的提示信息：成绩落后的同学可能会感到焦虑。

   补充其他观点，使内容充足，有理有据。

   注意你的立场要有明确的倾向性，只可持一方观点。

3. **安排结构：整体构思，理清思路，段落结构清晰合理**

   文章结构完整，层次分明，恰当使用连接词，让段落衔接自然。

4. **语言运用：行文流畅，语言表达准确、丰富**

   词语准确、丰富，适当运用较复杂的语言结构，注意词语搭配。标点符号准确，字迹工整。

思维导图

高分范文

2018 年 6 月 25 日　星期五　　天气：阴天

今天，老师把上周的考试卷子发回给我们。在卷面上不只有成绩，还有在全班的排名。虽然我知道老师这样做是希望我们能更清楚地了解自己现在的真实水平，但是我觉得这种做法会给学生带来很多不必要的负面影响。

引出话题，表明自己的观点：排名次有很多负面影响。

第一，考得好、名次靠前的同学一定会很高兴，但也可能会让他们感到自满，看不起别的同学。成绩落后的同学则会感到没面子，担心被其他人嘲笑。在成绩上的攀比容易让名次靠后的同学产生焦虑情绪，从而影响学习和成长。

解释第一个负面影响：让成绩落后的同学感到焦虑。

第二，有些同学不是没有努力学习，只是他们暂时还没找到适当的方法，或者在这门课上还没有"开窍"。按考试成绩排名还可能让这些同学有"屡战屡败"的感觉，导致他们对学习失去兴趣，他们会越来越不喜欢学习那门课，成绩也会越来越不好。

解释第二个负面影响：对学习失去兴趣。

我觉得老师可以表扬那些取得好成绩的同学，但也要鼓励那些虽然没考好、但也努力学习有进步的同学。不是每一个同学都可以拿第一，但只要取得进步就应该得到老师、同学的认可。

提出建议：老师应该怎么做。

总之，我觉得按考试成绩排名的做法不好。

重申自己的观点。

练习题库

1. 学校最近在讨论是否应该每天做作业。写一篇博客，谈一谈你的看法。

   以下是别人的观点，你可以参考，也可以提出自己的意见，但必须明确表示倾向。

   字数：250–300个汉字。满分为22分，其中内容占10分，语言占12分。

   做作业有助于帮助学生复习功课。

   做作业占用了太多休闲娱乐的时间。

2. 最近，校长在校会上说学校准备开设更多的课程供学生选择。写一篇演讲稿，谈一谈你的看法。

   以下是别人的观点，你可以参考，也可以提出自己的意见，但必须明确表示倾向。

   字数：250–300个汉字。满分为22分，其中内容占10分，语言占12分。

   可以为未来的工作和生活做准备。

   太多课程会令学生的学习失去重点。

3. 有些人建议男生和女生应该分学校上课。给教育局局长写一封信，谈一谈你的看法。

   以下是别人的观点，你可以参考，也可以提出自己的意见，但必须明确表示倾向。

   字数：250–300个汉字。满分为22分，其中内容占10分，语言占12分。

   男生和女生在学习中互相交流，有利于学习。

   男女分校可以令学生更专注学习。

4. 你和父母在讨论是否应该转去寄宿学校继续学习。给父母写一封信，谈一谈你的看法。

以下是别人的观点，你可以参考，也可以提出自己的意见，但必须明确表示倾向。

字数：250–300 个汉字。满分为 22 分，其中内容占 10 分，语言占 12 分。

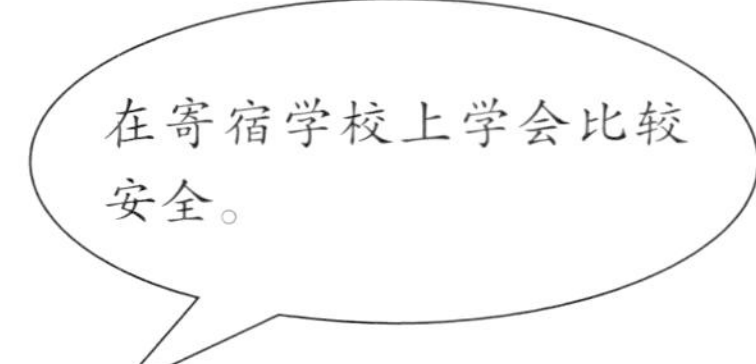

在寄宿学校接触社会的机会比较少。

5. 最近学校在讨论是否把原有的长假期改为几个短假期。给校刊写一篇文章，谈一谈你的看法。

以下是别人的观点，你可以参考，也可以提出自己的意见，但必须明确表示倾向。

字数：250–300 个汉字。满分为 22 分，其中内容占 10 分，语言占 12 分。

假期增多了有助于学生休息。

不够时间长途旅游，失去了增长知识的机会。

6. 有很多家长认为孩子的考试分数非常重要。给当地报刊写一篇文章，谈一谈你的看法。

以下是别人的观点，你可以参考，也可以提出自己的意见，但必须明确表示倾向。

字数：250–300 个汉字。满分为 22 分，其中内容占 10 分，语言占 12 分。

分数可以让学生之间互相比较，激励学生进步。

分数并不能体现学生真正掌握了多少知识。

7. 最近你的中文班比较了到学校上课和在网上学习对学生的好处。请写一篇博客，谈一谈你的看法。

以下是别人的观点，你可以参考，也可以提出自己的意见，但必须明确表示倾向。

字数：250–300 个汉字。满分为 22 分，其中内容占 10 分，语言占 12 分。

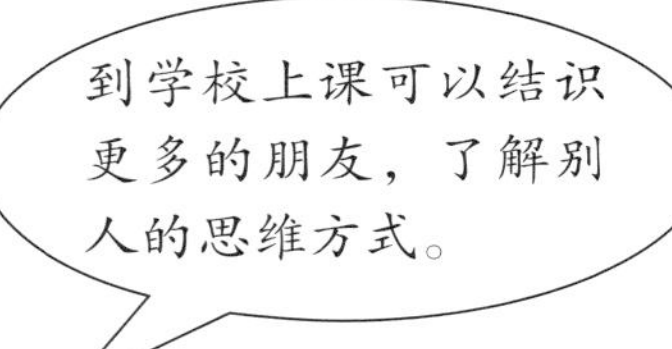

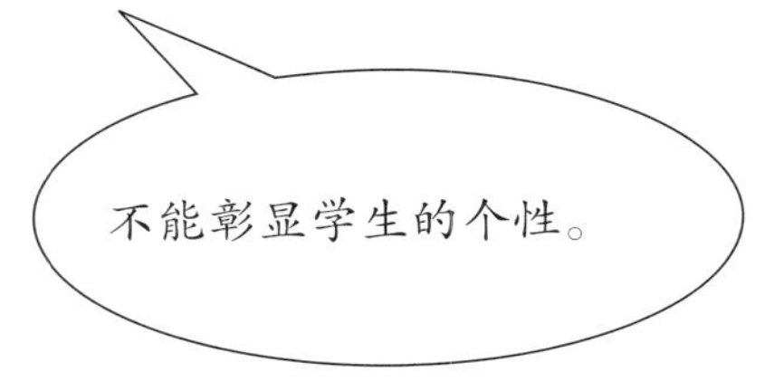

8. 你的学校规定所有学生必须穿校服去上学。请写一篇演讲稿，发表一下你的看法。

以下是别人的观点，你可以参考，也可以提出自己的意见，但必须明确表示倾向。

字数：250–300 个汉字。满分为 22 分，其中内容占 10 分，语言占 12 分。

不能彰显学生的个性。

9. 有些家长认为中学应该把艺术和音乐列为必修课。给校刊写一篇文章，谈一谈你的看法。

以下是别人的观点，你可以参考，也可以提出自己的意见，但必须明确表示倾向。

字数：250–300 个汉字。满分为 22 分，其中内容占 10 分，语言占 12 分。

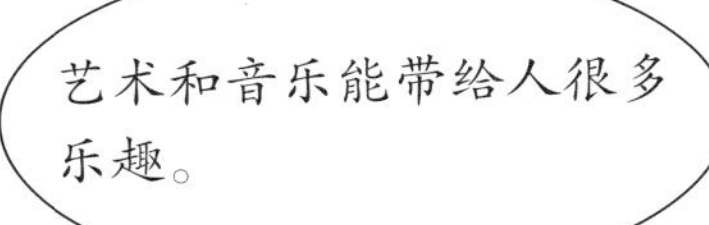

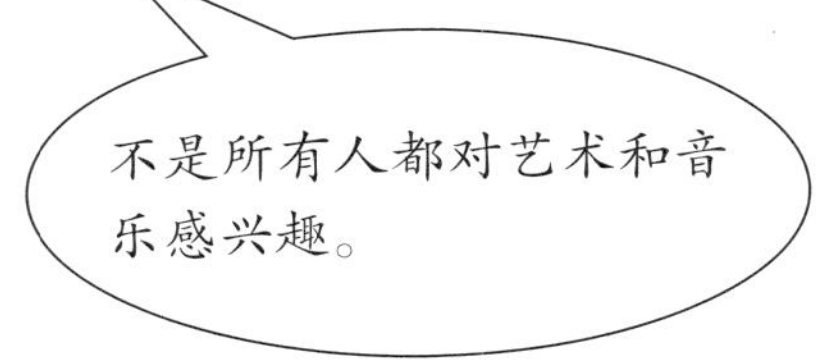

10. 老师经常在课堂上安排小组学习活动。写一篇日记，谈一谈你对这种教学模式的看法。

以下是别人的观点，你可以参考，也可以提出自己的意见，但必须明确表示倾向。

字数 :250–300 个汉字。满分为 22 分，其中内容占 10 分，语言占 12 分。

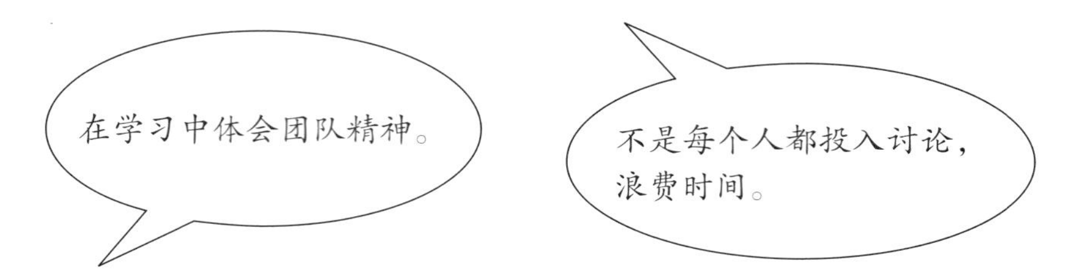

11. 学校把每星期三的最后一节课定为读书课。给校刊写一篇文章，谈一谈你的看法。

以下是别人的观点，你可以参考，也可以提出自己的意见，但必须明确表示倾向。

字数 :250–300 个汉字。满分为 22 分，其中内容占 10 分，语言占 12 分。

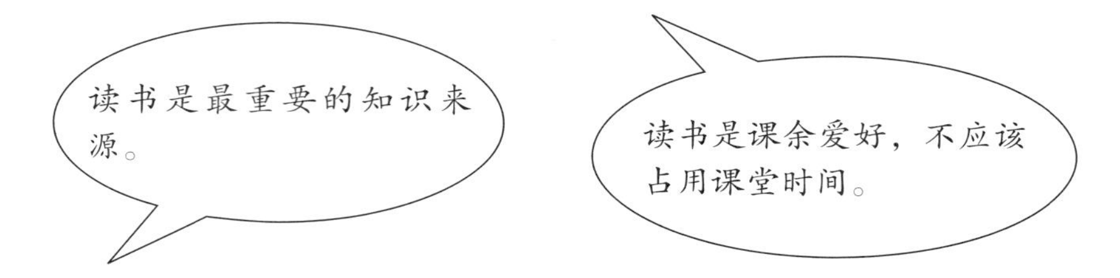

12. 最近你在报纸上看到一篇文章，主要讲“儿童应该花多些时间玩耍”。给报纸编辑写一封信，谈一谈你的看法。

以下是别人的观点，你可以参考，也可以提出自己的意见，但必须明确表示倾向。

字数 :250–300 个汉字。满分为 22 分，其中内容占 10 分，语言占 12 分。

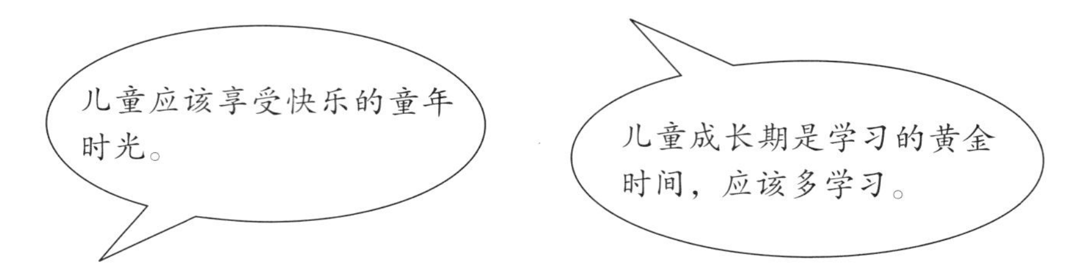

13. 在今天的中文课上，老师让你们讨论了“家庭对于一个人的成长有最大的影响。” 写一篇演讲稿，谈一谈你的看法。

以下是别人的观点，你可以参考，也可以提出自己的意见，但必须明确表示倾向。

字数 :250–300 个汉字。满分为 22 分，其中内容占 10 分，语言占 12 分。

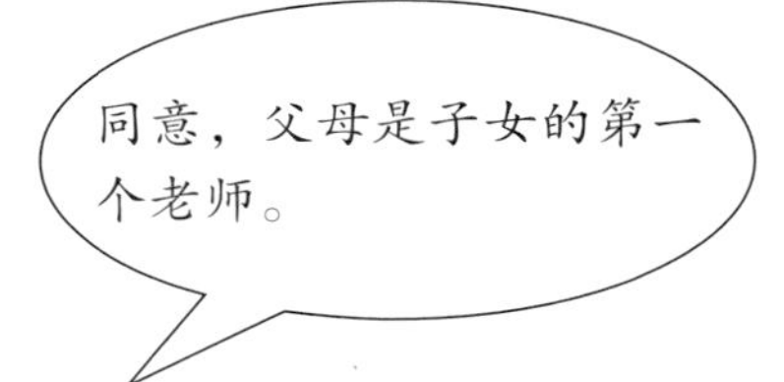

不同意，学校对一个人的成长有最大的影响，因为学生大部分时间在学校。

14. 毕业班的同学在讨论是否一中学毕业就去上大学。写一篇演讲稿，谈一谈你的看法。

以下是别人的观点，你可以参考，也可以提出自己的意见，但必须明确表示倾向。

字数 :250–300 个汉字。满分为 22 分，其中内容占 10 分，语言占 12 分。

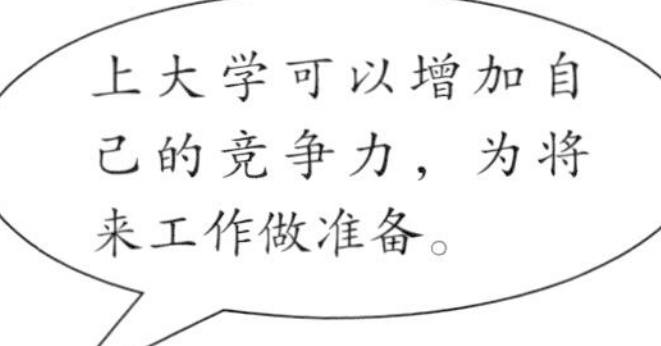

应该先去工作，积累实际工作经验。

15. 有些家长认为学生应该在学习期间打工。写一篇演讲稿，谈一谈你的看法。

以下是别人的观点，你可以参考，也可以提出自己的意见，但必须明确表示倾向。

字数 :250–300 个汉字。满分为 22 分，其中内容占 10 分，语言占 12 分。

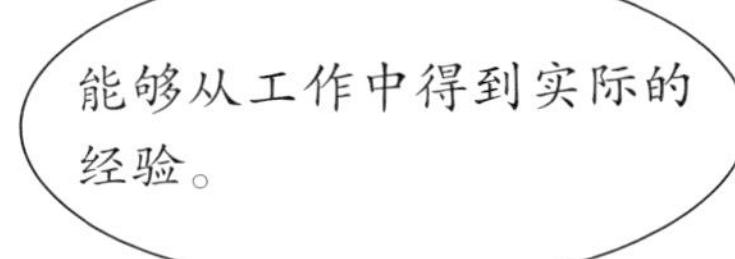

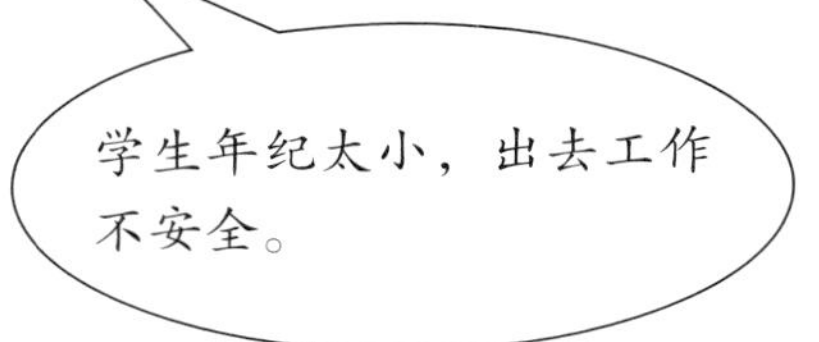

16. 你的老师让你们做一个题为“什么样的朋友才是可靠的朋友”的专题讨论。写一篇演讲稿，谈一谈你的看法。

以下是别人的观点，你可以参考，也可以提出自己的意见，但必须明确表示倾向。

字数：250-300 个汉字。满分为 22 分，其中内容占 10 分，语言占 12 分。

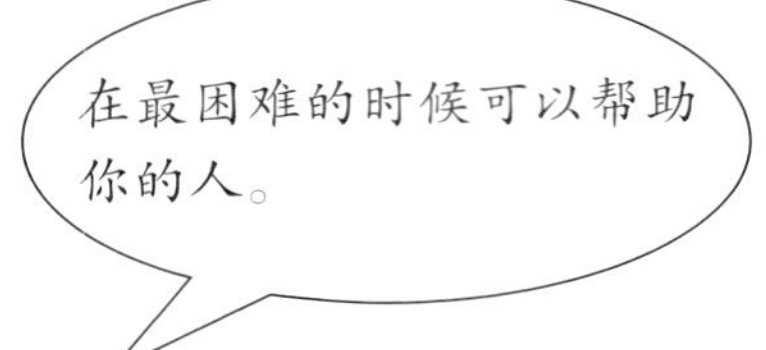

有时候最可靠的朋友也会因为小事吵架。

17. 你最近在报纸上看到这样一篇文章：《在家靠父母，出门靠朋友》。请给报社的主编写一封信，表达一下你对这篇文章的看法。

以下是别人的观点，你可以参考，也可以提出自己的意见，但必须明确表示倾向。

字数：250-300 个汉字。满分为 22 分，其中内容占 10 分，语言占 12 分。

朋友能够更好地了解我的烦恼，所以能够更好地帮助自己。

朋友永远比不上父母对自己的关心。

18. 青少年的行为和喜好有时会受到同龄人的影响，我们称为“同辈压力”。给校刊写一篇文章，谈一谈你对“同辈压力”的看法。

以下是别人的意见，你可以参考，也可以提出自己的意见，但必须明确表示倾向。

字数：250-300 个汉字。满分为 22 分，其中内容占 10 分，语言占 12 分。

同辈压力给青少年的进步带来动力。

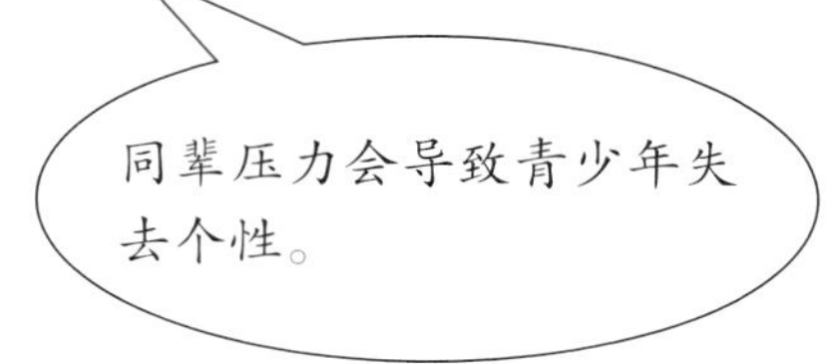

19. 为了减轻学生的压力，学校打算在七至九年级取消测验考试。给校长写一封信，谈一谈你的看法。

以下是别人的意见，你可以参考，也可以提出自己的意见，但必须明确表示倾向。

字数：250–300 个汉字。满分为 22 分，其中内容占 10 分，语言占 12 分。

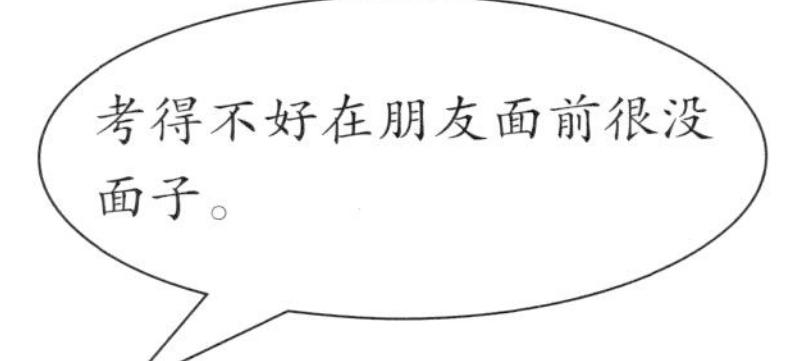

测验考试可以帮助低年级学生打好基础。

20. 今天你的中文班讨论了“运气在一个人成功的过程中起了非常重要的作用”这个话题。请写一篇演讲稿，说一下你的看法。

以下是别人的观点，你可以参考，也可以提出自己的意见，但必须明确表示倾向。

字数：250–300 个汉字。满分为 22 分，其中内容占 10 分，语言占 12 分。

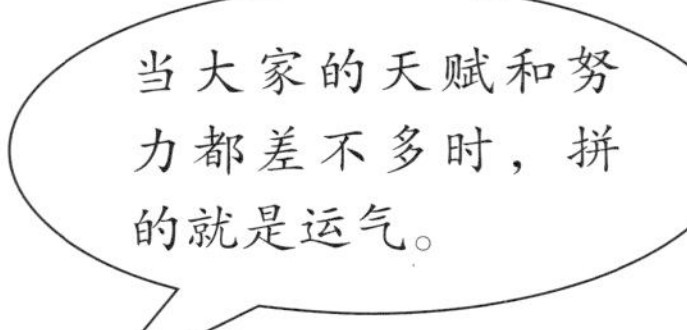

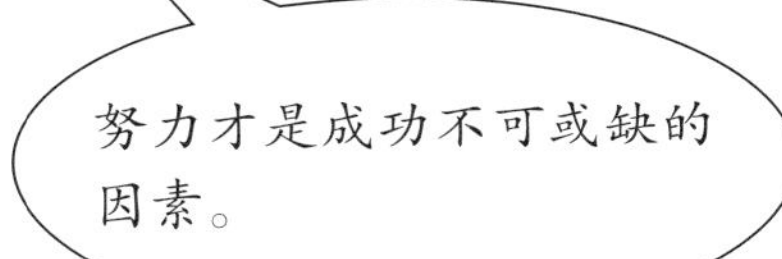

21. 今天你们在中文课上讨论了“失败是成功之母”这个话题。请给校刊写一篇文章，谈谈你的看法。

以下是别人的观点，你可以参考，也可以提出自己的意见，但必须明确表示倾向。

字数：250–300 个汉字。满分为 22 分，其中内容占 10 分，语言占 12 分。

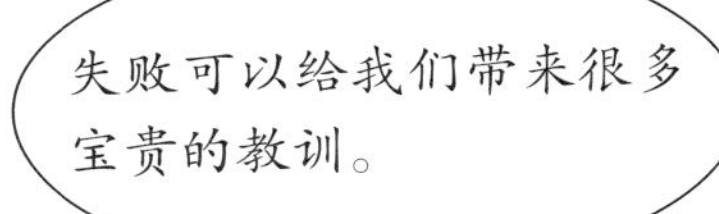

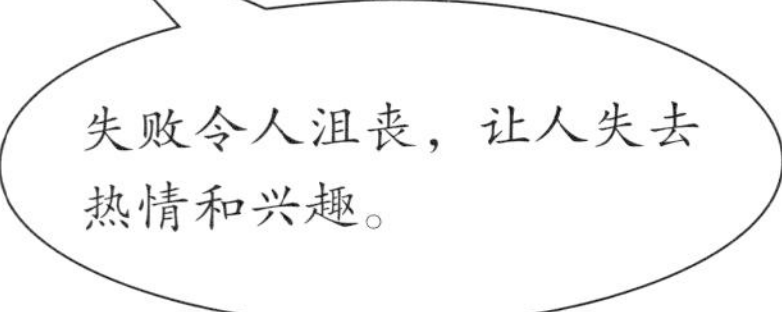

22. 今天校长在校会上说“减轻压力最好的方法是做运动”。请写一篇演讲稿，说一说你的看法。

以下是别人的观点，你可以参考，也可以提出自己的意见，但必须明确表示倾向。

字数 :250–300 个汉字。满分为 22 分，其中内容占 10 分，语言占 12 分。

做运动可以暂时忘掉不愉快的事情，让心情放松。

做运动让身体变得疲劳，更加没有精神。

主题高频词

词语	拼音	英文	词语	拼音	英文
学生	xué sheng	student	外国	wài guó	overseas
青少年	qīng shào nián	teenager	世界各地	shì jiè gè dì	all over the world
年轻人	nián qīng rén	young people	环境	huán jìng	environment
朋友	péng you	friend	沟通	gōu tōng	communication
父母	fù mǔ	parents	手机	shǒu jī	phone
孩子	hái zi	child	文化	wén huà	culture
老师	lǎo shī	teacher	知识	zhī shi	knowledge
同学	tóng xué	classmate	遇到困难	yù dào kùn nan	to encounter difficulties
校园	xiào yuán	campus	打工	dǎ gōng	to work part-time
多姿多彩	duō zī duō cǎi	full of variety	接触社会	jiē chù shè huì	to step into the society
寄宿学校	jì sù xué xiào	boarding school	社交圈子	shè jiāo quān zi	circle of friends

词语	拼音	英文	词语	拼音	英文
国际学校	guó jì xué xiào	international school	开阔视野	kāi kuò shì yě	to broaden one's horizon
夏令营	xià lìng yíng	summer camp	增长见闻	zēng zhǎng jiàn wén	to broaden one's horizon
复习	fù xí	to review	效率	xiào lǜ	efficiency
读书	dú shū	to study	思维技巧	sī wéi jì qiǎo	thinking skills
功课	gōng kè	homework	社会阅历	shè huì yuè lì	social experience
考试	kǎo shì	examination	压力	yā lì	pressure
成绩	chéng jì	result	性格	xìng gé	personality
课外活动	kè wài huó dòng	extra-curricular activity	个性	gè xìng	character
注重	zhù zhòng	to pay emphasis on	成熟	chéng shú	mature
培养	péi yǎng	to cultivate	独立	dú lì	independent
兴趣	xìng qù	interest	照顾	zhào gù	to take care of
爱好	ài hào	hobby	旅行	lǚ xíng	trip; to travel
职业	zhí yè	occupation	毕业	bì yè	graduation; to graduate
留学	liú xué	to study abroad	人生	rén shēng	life

主题二 社会

优秀范例

话题 1：家庭关系

模拟练习

题目一：在昨天的家庭会议上，你和父母讨论了要不要养宠物的问题。给父母写一封信，谈谈你的看法。

以下是别人的观点，你可以参考，也可以提出自己的意见，但必须明确表示倾向。

字数：250-300 个汉字。满分为 22 分，其中内容占 10 分，语言占 12 分。

养宠物可以培养责任感。

养宠物太浪费时间，会影响学习。

答题技巧

1. 审清题意：理解情景，把握关键词，找到议论性的话题、受众和文体格式

   议论性的话题：要不要养宠物

   受众：父母

   文体：书信

2. 内容构建：确定立场，利用题目中的提示信息，拓展观点

你的立场：支持	你的立场：反对
可利用的提示信息：养宠物可以培养责任感。	可利用的提示信息：养宠物太浪费时间，会影响学习。
补充其他观点，使内容充足，有理有据。	补充其他观点，使内容充足，有理有据。

   注意你的立场要有明确的倾向性，只可持一方观点。

3. 安排结构：整体构思，理清思路，段落结构清晰合理

文章结构完整，层次分明，恰当使用连接词，让段落衔接自然。

4. 语言运用：行文流畅，语言表达准确、丰富

词语准确、丰富，适当运用较复杂的语言结构，注意词语搭配。标点符号准确，字迹工整。

思维导图

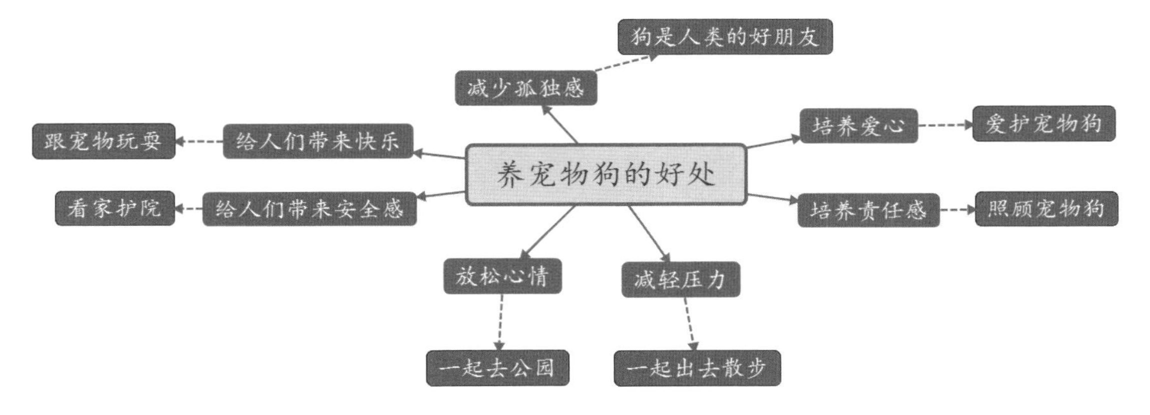

高分范文

亲爱的爸爸、妈妈：

你们好！在今天的家庭会议上，我们讨论了到底应不应该养宠物这个问题。我一直想养一只巴哥犬，但是你们觉得照顾小狗会花很多时间和精力，也可能会耽误学习。我不这么认为，让我来跟你们说说养宠物的好处吧。

引出话题，表明自己的观点：应该养宠物。

首先，我觉得巴哥犬的样子很可爱，它能给家庭带来很多欢乐。你们有时候工作很忙，如果有巴哥犬陪我，我可以和它玩耍、交流，减少我的孤独感。爸爸、妈妈回来后，我们还可以一起去遛狗，周末一起带它去宠物公园，这样不但增加了和家人愉快相处的时间，多到户外走走还可以放松紧张的心情，释放学习、工作压力，有益于身心健康。

举例说明第一个原因：给家庭带来欢乐。

除了享受和巴哥犬在一起的快乐时光，我还会悉心照顾它，学着给它喂粮、洗澡，关心它的需要，这样还能培养我的爱心和责任感。

举例说明第二个原因：培养爱心和责任感。

最后，狗是很忠诚的动物，它能看家护院。狗的嗅觉、听觉都极其敏锐。我在新闻里看到，有一户人家晚上遭到偷窃，是他们家的宠物狗及时发现了盗贼、提醒主人才避免了损失。所以，养宠物还能给家庭带来安全感。

举例说明第三个原因：给家庭带来安全感。

我想养宠物绝对不是三分钟热度。我向你们保证，一定会尽心尽责地照顾宠物，也会合理分配时间，不影响学习。希望你们可以考虑一下，让我们家增加一名动物成员。

重申自己的观点。

祝

身体健康！

女儿

颖儿

2018 年 6 月 5 日

模拟练习

题目二：你的姐姐打算大学毕业后从家里搬出去，自己租房子住。你的父母对这件事有不同的看法。请给你的父母写一封信，谈一谈你的看法。

以下是别人的观点，你可以参考，也可以提出自己的意见，但必须明确表示倾向。

字数：250–300 个汉字。满分为 22 分，其中内容占 10 分，语言占 12 分。

住在家里可以节省生活开支。

搬出去住可以锻炼独立生活的能力。

答题技巧

1. **审清题意：理解情景，把握关键词，找到议论性的话题、受众和文体格式**

   议论性的话题：姐姐打算大学毕业后自己租房子住

   受众：父母

   文体：书信

2. **内容构建：确定立场，利用题目中的提示信息，拓展观点**

你的立场：支持	你的立场：反对
可利用的提示信息：搬出去住可以锻炼独立生活的能力。	可利用的提示信息：住在家里可以节省生活开支。
补充其他观点，使内容充足，有理有据。	补充其他观点，使内容充足，有理有据。

   注意你的立场要有明确的倾向性，只可持一方观点。

3. **安排结构：整体构思，理清思路，段落结构清晰合理**

   文章结构完整，层次分明，恰当使用连接词，让段落衔接自然。

4. **语言运用：行文流畅，语言表达准确、丰富**

   词语准确、丰富，适当运用较复杂的语言结构，注意词语搭配。标点符号准确，字迹工整。

思维导图

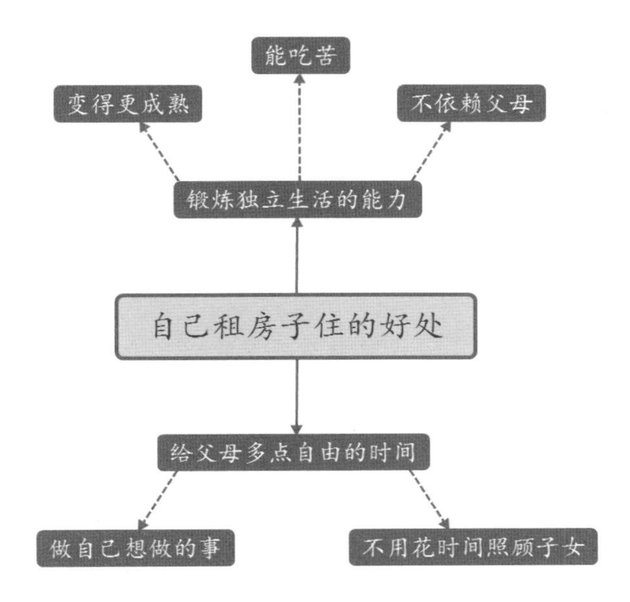

高分范文

亲爱的爸爸、妈妈：

你们好！姐姐最近表示在大学毕业以后想从家里搬出去，自己租房子住。虽然我知道你们对姐姐的这个打算并不支持，但我想谈谈我的看法，我认为应该让姐姐搬出去自己租房子住。

引出话题，表明自己的观点：应该让姐姐搬出去自己租房子住。

首先，姐姐搬出去自己住可以锻炼她独立生活的能力。我知道你们担心她一个人在外面会吃苦，可是我觉得吃苦对于年轻人来说并不一定是坏事。如果一直生活在舒适、安逸的家里，反而会让孩子事事依赖父母，失去培养自己独立性的机会。姐姐已经二十多岁了，我相信她有能力去应对生活中的难题。

解释第一个原因：锻炼独立生活的能力。

其次，姐姐搬出去住可以让你们的时间更自由。从小到大，我和姐姐一直是你们的生活重心，凡事总是先考虑到我们的需要，但是我认为你们也应该有属于自己的生活。姐姐搬出去住，你们的空闲时间会多一些，可以做自己想做的事情，比如出去见见朋友、去短途旅行等，而不是一直为了照顾我和姐姐而忙碌。

解释第二个原因：父母的时间更自由。

虽然姐姐搬出去住我们一定会思念她，也会担心她的生活，但是现在科技非常发达，很多种方法都可以让我们随时随地联系到姐姐，我们可以在家庭群组中发信息，也可以和姐姐打视频电话。而且，姐姐有时间也可以经常回家吃饭，和我们聊聊天儿。

先提出父母的顾虑，再进行反驳。

总而言之，请你们不要过度担心，只有放手让姐姐离开保护伞，她才能成长为更独立、更成熟的

总结上文提出的原因，重申自己的观点。

人，而且你们也可以有更多时间享受属于自己的生活。我恳请你们慎重考虑姐姐打算搬出去自己住的提议。

祝

身体健康！

女儿

小雨

2018 年 7 月 4 日

话题 2：健康

模拟练习

题目一：你的学校正在考虑增加体育课的课时，从每星期三节改成每日一节。给校报写一篇文章，谈一谈你的看法。

以下是别人的观点，你可以参考，也可以提出自己的意见，但必须明确表示倾向。

字数：250–300 个汉字。满分为 22 分，其中内容占 10 分，语言占 12 分。

上体育课可以保证学生的健康，从而促进学习。

还有很多比体育课更重要的课程。

答题技巧

1. 审清题意：理解情景，把握关键词，找到议论性的话题、受众和文体格式

   议论性的话题：增加体育课的课时

   受众：学生、老师、校长、家长

   文体：校报文章

2. 内容构建：确定立场，利用题目中的提示信息，拓展观点

你的立场：支持	你的立场：反对
可利用的提示信息：上体育课可以保证学生的健康，从而促进学习。	可利用的提示信息：还有很多比体育课更重要的课程。
补充其他观点，使内容充足，有理有据。	补充其他观点，使内容充足，有理有据。

注意你的立场要有明确的倾向性，只可持一方观点。

3. **安排结构：整体构思，理清思路，段落结构清晰合理**

   文章结构完整，层次分明，恰当使用连接词，让段落衔接自然。

4. **语言运用：行文流畅，语言表达准确、丰富**

   词语准确、丰富，适当运用较复杂的语言结构，注意词语搭配。标点符号准确，字迹工整。

思维导图

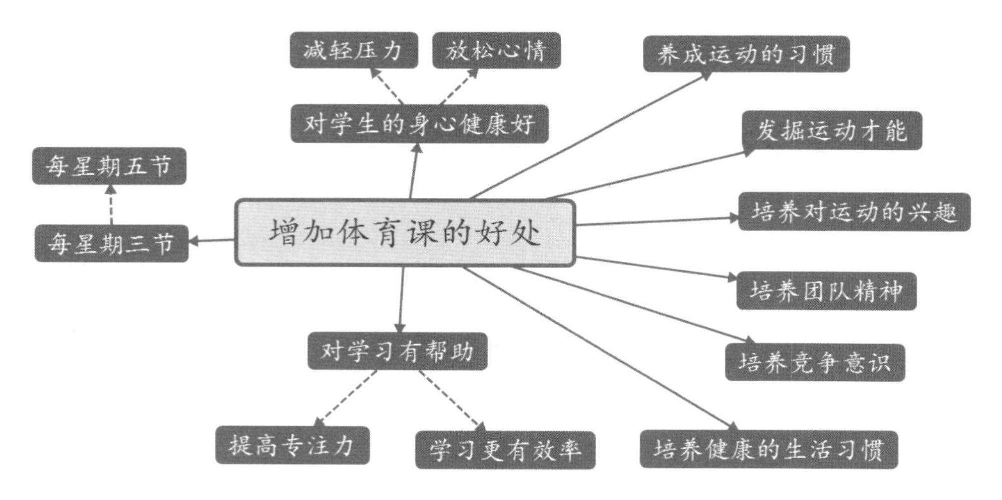

高分范文

学校应该增加体育课的时间

作者：郑敏（十年级）

我们学校正在考虑增加体育课的课时，从每星期三节改成每日一节。我认为这是一个明智的决定。

引出话题，表明自己的观点：支持增加体育课。

首先，体育活动有利于学生的身心健康。我们每天都被沉重的课业、考试压得喘不过气来。我们常常在书桌前一坐就是一个小时，还要承受巨大的考试压力，真是不堪重负。如果每天都有体育课，我们至少每天都能有一节课的时间活动活动筋骨，转换一下头脑。在这个过程中，我们既能锻炼身体，又能放松心情、减轻压力，学习也会变得更有效率。

解释第一个原因：有利于学生的身心健康。

其次，体育课的增加能让学生从小就养成运动的习惯。充裕的体育课时间能让学生有更多机会尝试丰富多彩的体育活动，在掌握正确的运动方法的同时，发掘自己的运动才能，培养对体育锻炼的兴趣。这样，我们就能培养健康的生活习惯。即使以后离开学校，我们也可以从中受益。

解释第二个原因：培养运动的习惯。

有些人认为体育课不重要，增加体育课会影响学业，但是我觉得这个想法是错的。做运动其实有助于提高学生的专注力，让我们学习依照指示做好运动，养成坚韧的性格，并且以同样的态度来对待学业。另外，参加各类体育竞赛，还能培养我们的竞争意识、团队合作精神，这对将来的发展也大有裨益。

先提出一些人的顾虑，再进行反驳。

总而言之，每天一节体育课能够让学生的身体和心理都更健康，养成良好的生活习惯，还能提高各项技能，这实在是一个绝佳的主意！

总结上文提出的原因，重申自己的观点。

模拟练习

题目二：今年中文辩论比赛的题目是“学校小卖部应不应该只售卖健康的食物”。写一篇辩论稿，表达你的看法，你可以是正方或者反方的代表。以下是别人的观点，你可以参考，也可以提出自己的意见，但必须明确表示倾向。

字数：250–300 个汉字。满分为 22 分，其中内容占 10 分，语言占 12 分。

吃垃圾食品对身体不好。

学生应该有权利选择自己爱吃的食物。

答题技巧

1. 审清题意：理解情景，把握关键词，找到议论性的话题、受众和文体格式

   议论性的话题：学校小卖部应不应该只售卖健康的食物

   受众：学生、老师、校长、家长

   文体：辩论稿

2. 内容构建：确定立场，利用题目中的提示信息，拓展观点

你的立场：正方	你的立场：反方
可利用的提示信息：吃垃圾食品对身体不好。	可利用的提示信息：学生应该有权利选择自己爱吃的食物。
补充其他观点，使内容充足，有理有据。	补充其他观点，使内容充足，有理有据。

   注意你的立场要有明确的倾向性，只可持一方观点。

3. 安排结构：整体构思，理清思路，段落结构清晰合理

   文章结构完整，层次分明，恰当使用连接词，让段落衔接自然。

4. 语言运用：行文流畅，语言表达准确、丰富

   词语准确、丰富，适当运用较复杂的语言结构，注意词语搭配。标点符号准确，字迹工整。

思维导图

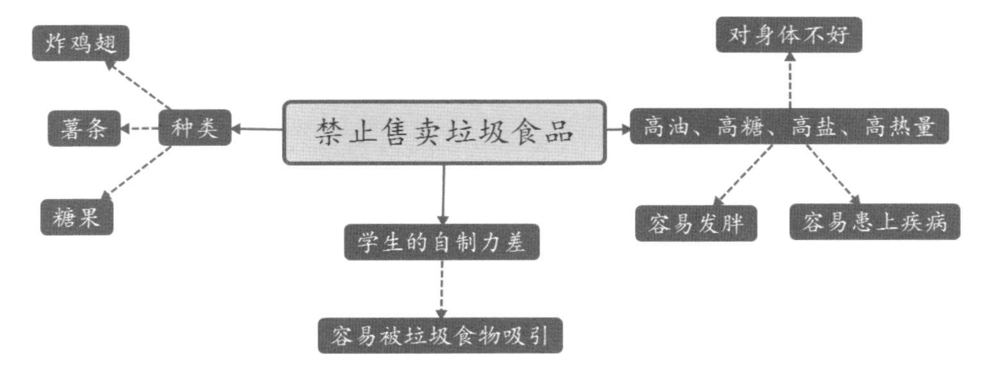

高分范文

各位老师、评委、对方辩友：

大家好！今天辩论的题目是“学校小卖部应不应该只售卖健康的食物”。我是正方一辩，我方认为学校小卖部应该只售卖健康的食物。

引出话题，表明自己的观点：应该只售卖健康的食物。

首先，众所周知，吃垃圾食品对身体有百害而无一利。垃圾食品一般都是高油、高糖、高盐的，不但热量很高，容易让人发胖，还可能增加人们患上疾病的风险。中学生正处于成长和发育的重要阶段，健康的饮食对我们来说至关重要。学校的小卖部应该杜绝垃圾食品，只售卖健康的食物。

解释第一个原因：吃垃圾食品的坏处。

其次，中学生的自制能力较低，抵挡不了诱惑。炸鸡翅、薯条、糖果这些小吃口感丰富，很多学生即使知道它们对身体有害，看到了还是忍不住买来吃。如果我们学校的小卖部不再卖垃圾食品，而是改售蔬菜杯、水果沙拉这些健康的食品，那么学生就不必担心做出错误的选择了。而且，学生每天几乎有三分之一的时间都在校园中生活，久而久之，习惯了吃这些健康的食品，更有利于他们养成健康的饮食习惯。

解释第二个原因：学生自制力低，抵挡不了诱惑。

虽然对方辩友刚刚提到，如果禁卖不健康的食品，小卖部的生意可能会受到影响。但是我必须提醒对方辩友，小卖部作为学校的一部分，有责任为学生的健康成长尽一份力，让学生尽可能少地食用对身体有害的垃圾食品。而且，如果小卖部开发出更多既健康又美味的食品，那生意就不会受到影响，还能颠覆学生觉得“健康的食物就一定不好吃”的观念，让他们逐渐爱上吃健康的食品。

先提出反方的看法，再进行反驳。

综上所述，垃圾食品对健康不利，中学生普遍自制力较差，因此，我方认为学校小卖部应该只售卖健康小吃，让学生喜欢上健康的食品，培养学生正确的饮食观念。谢谢！

总结上文提出的原因，重申自己的观点。

话题3：电影和媒体

模拟练习

题目一：一家电影公司想租用你们学校的校园拍电影，还邀请你们学校十至十二年级的同学当临时演员。学生会要征集大家的意见，写一篇演讲稿，谈谈你的看法。

以下是别人的观点，你可以参考，也可以提出自己的意见，但必须明确表示倾向。

字数：250–300字。满分为22分，其中内容占10分，语言占12分。

很多同学都对表演感兴趣，会很喜欢这个活动。

学校是教育机构，拍电影这种商业性活动不应该进入校园。

答题技巧

1. **审清题意：理解情景，把握关键词，找到议论性的话题、受众和文体格式**

   议论性的话题：租用学校的校园拍电影

   受众：学生、老师、校长、家长

   文体：演讲稿

2. **内容构建：确定立场，利用题目中的提示信息，拓展观点**

   你的立场：支持

   可利用的提示信息：很多同学都对表演感兴趣，会很喜欢这个活动。

   补充其他观点，使内容充足，有理有据。

   你的立场：反对

   可利用的提示信息：学校是教育机构，拍电影这种商业性活动不应该进入校园。

   补充其他观点，使内容充足，有理有据。

   注意你的立场要有明确的倾向性，只可持一方观点。

3. **安排结构：整体构思，理清思路，段落结构清晰合理**

   文章结构完整，层次分明，恰当使用连接词，让段落衔接自然。

4. **语言运用：行文流畅，语言表达准确、丰富**

   词语准确、丰富，适当运用较复杂的语言结构，注意词语搭配。标点符号准确，字迹工整。

思维导图

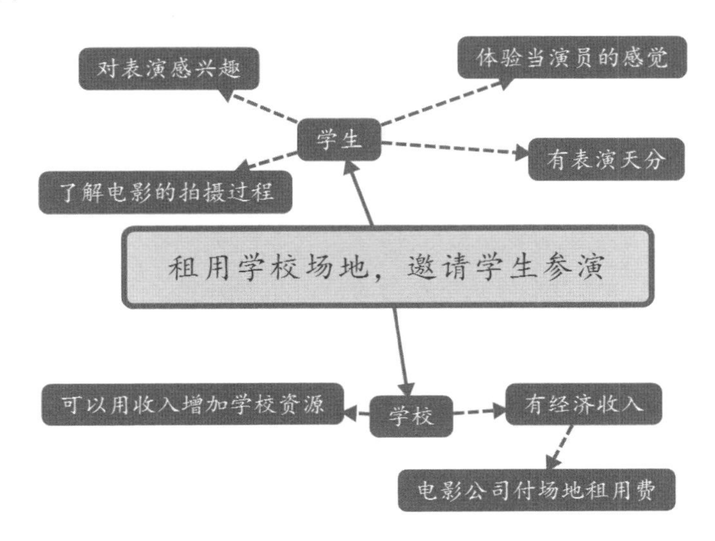

高分范文

老师们、同学们：

大家好！最近，一家电影公司想租用我们学校的校园拍电影，还邀请十至十二年级的同学当临时演员。我认为这是一次难得的机会，我非常支持这个活动。

引出话题，表明自己的观点：支持拍电影的活动。

首先，我知道身边很多同学对表演感兴趣，他们应该会很乐意参与电影拍摄。我们平时大部分时间都在学习，接触社会的机会太少，而这个活动不但可以让大家了解电影的拍摄过程，还有机会体验一下当演员的感觉，我相信这将是一次十分有趣的经历。

解释第一个原因：学生对表演感兴趣。

另外，这个活动可以给学校带来一大笔收入。电影公司会付给学校租用场地的费用，学校可以利用这笔钱丰富同学们的校园生活。比如说，图书馆可以多订阅一些杂志或报纸，学校也可以多购置一些体育用品给同学们借用，这样我们的校园生活会更多姿多彩。

解释第二个原因：给学校带来收入。

虽然有些同学认为学校是教育机构，拍电影这种商业活动不应该进入校园，但是同学们在这个活动中可以增长见闻，学到课本里没有的知识。特别是十二年级的同学面临大学选专业的问题，如果真的对电影感兴趣，也可以早做职业规划。

先提出反对的看法，再进行反驳。

总结来说，电影公司租用我们的校园拍电影可以给同学们和学校都带来一些好处。因此，我非常支持这个活动。谢谢大家！

总结上文提出的原因，重申自己的观点。

模拟练习

题目二：我们最近在学校讨论了“看电影更有意思还是看小说更有意思”的话题。给校报写一篇文章，谈一谈你的看法。

以下是别人的观点，你可以参考，也可以提出自己的意见，但必须明确表示倾向。

字数：250–300个汉字。满分为22分，其中内容占10分，语言占12分。

电影用了很多科学技术，更加吸引人。

小说的内容更加详细，语言更加优美。

答题技巧

1. **审清题意：理解情景，把握关键词，找到议论性的话题、受众和文体格式**

   议论性的话题：看电影更有意思还是看小说更有意思

   受众：学生、老师、校长、家长

   文体：校报文章

2. **内容构建：确定立场，利用题目中的提示信息，拓展观点**

   你的立场：看电影更有意思

   可利用的提示信息：电影用了很多科学技术，更加吸引人。

   补充其他观点，使内容充足，有理有据。

   你的立场：看小说更有意思

   可利用的提示信息：小说的内容更加详细，语言更加优美。

   补充其他观点，使内容充足，有理有据。

   注意你的立场要有明确的倾向性，只可持一方观点。

3. **安排结构：整体构思，理清思路，段落结构清晰合理**

   文章结构完整，层次分明，恰当使用连接词，让段落衔接自然。

4. **语言运用：行文流畅，语言表达准确、丰富**

   词语准确、丰富，适当运用较复杂的语言结构，注意词语搭配。标点符号准确，字迹工整。

思维导图

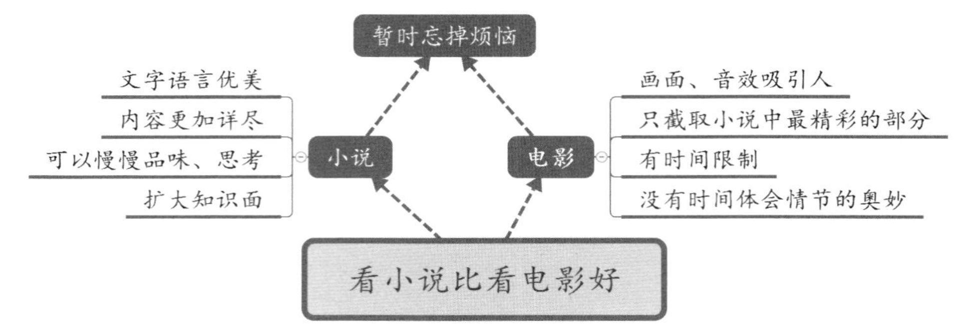

高分范文

你喜欢看小说还是看电影呢？

作者：程涵（十一年级）

看电影和看小说都是深受年轻人喜爱的休闲方式。我们可以暂时忘记现实中的琐事和烦恼，沉浸在电影或者小说创造的世界中。但是，我认为看小说比看电影更有意思。

引出话题，表明自己的观点：看小说比看电影更有意思。

首先，小说的内容更加详尽，情节更经得起推敲。有些根据小说改编的电影为了迎合观众的口味，只截取小说中最精彩的部分，很多细节被匆匆带过，导致情节支离破碎。电影还受时间限制，对故事情节一定会有所取舍，可能很多哲理的部分也因此被省略了。所以，小说的情节更耐人寻味，也更能促进我们对生活的思考。

解释第一个原因：小说内容更详尽，情节更经得起推敲。

其次，小说语言更加优美，更能激发人们的想象力。电影中的情节发展很快，没有让人细细品味的时间，而且电影是根据导演、演员对情节的理解呈现出来的，这样禁锢了观众的想象力。然而，看小说的时候我们会把自己融入到小说的世界里，脑海中的每一幅画面都是根据文字结合自己的想象创

解释第二个原因：小说语言更优美。

造出来的。所以，看小说可以停下来思考，而看电影只能被动地跟随情节发展。

最后，看小说可以扩展知识面。看完一本小说需要花上几个甚至十几个小时，可是一场电影顶多就三个小时。看小说时，每一段文字都可以慢慢花时间去品味、思考，获得知识和哲理。而看电影时，再精彩的台词也会很快说完，观众哪有时间去体会其中的奥妙呢？

解释第三个原因：小说可以扩展知识面。

虽然电影通常运用大量的科技手法，令画面、音效非常吸引人，但看电影带来的只是精神上短暂的欢愉和视觉上的冲击，而看小说才能给人们带来持久的思考和感动。

先提出电影的一些好处，再进行反驳。

总而言之，小说的内容更加详尽，语言更加优美，还更能扩展知识面，所以我认为看小说比看电影更有意思。

总结上文提出的原因，重申自己的观点。

话题 4：爱好

模拟练习

题目一：很多家长不让孩子看电视，认为看电视对孩子的成长不利。写一篇演讲稿，谈一谈你的看法。

以下是别人的观点，你可以参考，也可以提出自己的意见，但必须明确表示倾向。

字数：250–300 个汉字。满分为 22 分，其中内容占 10 分，语言占 12 分。

看电视让孩子不爱运动，对身体不好。

看电视可以让孩子更快乐。

答题技巧

1. 审清题意：理解情景，把握关键词，找到议论性的话题、受众和文体格式

   议论性的话题：看电视对孩子的成长不利

   受众：学生、老师、校长、家长

   文体：演讲稿

2. 内容构建：确定立场，利用题目中的提示信息，拓展观点

你的立场：支持	你的立场：反对
可利用的提示信息：看电视让孩子不爱运动，对身体不好。	可利用的提示信息：看电视可以让孩子更快乐。
补充其他观点，使内容充足，有理有据。	补充其他观点，使内容充足，有理有据。

   注意你的立场要有明确的倾向性，只可持一方观点。

3. 安排结构：整体构思，理清思路，段落结构清晰合理

   文章结构完整，层次分明，恰当使用连接词，让段落衔接自然。

4. 语言运用：行文流畅，语言表达准确、丰富

   词语准确、丰富，适当运用较复杂的语言结构，注意词语搭配。标点符号准确，字迹工整。

思维导图

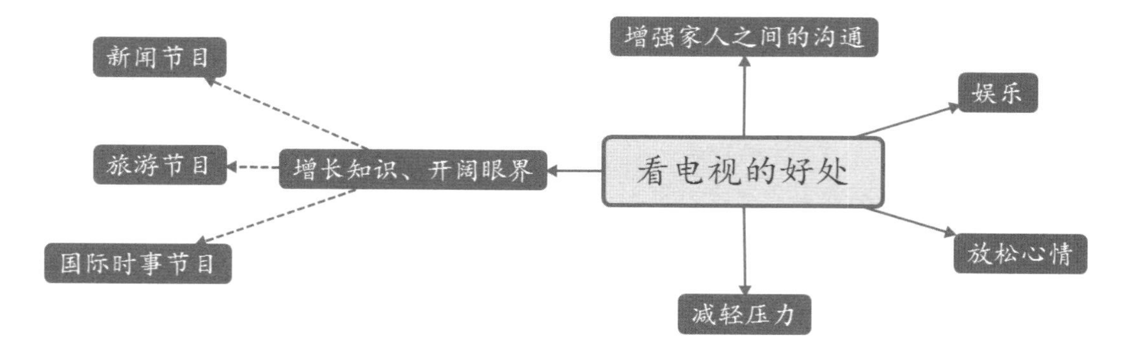

高分范文

各位老师、各位同学：

大家好！我叫赵欣，是十一年级的学生代表。最近，很多学生在抱怨家长不让他们看电视，认为看电视对孩子的成长不利。但是，我个人认为看电视也有不少好处，家长应该让孩子适当地看电视。

引出话题，表明自己的观点：应该让孩子适当地看电视。

第一，众所周知，看电视可以增长知识、开阔眼界。新闻节目让我们第一时间了解世界各地的时事资讯；旅游节目可以让我们安坐家中欣赏各地的美景和风土人情；一些国际热门时事的直播更能让我们关注国际社会，培养世界公民的意识。

解释第一个原因：增长知识、开阔视野。

第二，看电视不仅是一项娱乐活动，还是有益的家庭活动。家长和孩子一起看电视，可以增加共同话题，也能增进对彼此的了解。现在很多学生功课压力大，放学以后还要参加各种课外活动，如果能每天晚上和家人一起看一会儿电视，既可以让脑子休息一下，放松心情，又增加了与家人相处的快乐时光。

解释第二个原因：看电视还是有益的家庭活动。

一些家长可能认为看电视会导致孩子不爱运动，影响身体健康。但是我觉得这个想法是不对的。我很多朋友虽然平时看电视，但他们也热爱运动，周末经常去打篮球或者跑步。家长不应该一味地反对孩子看电视，而是应该引导孩子看有益的节目，控制看电视的时间，提醒他们不要过度沉迷电视节目。

先提出家长反对看电视的看法，再举例进行反驳。

总的来说，适度地看电视并不会影响健康，还能让孩子获得知识，让家庭生活更加和睦、丰富。

总结上文提出的原因，重申自己的观点。

我的演讲结束了。谢谢大家！

模拟练习

题目二：有些青少年热衷于做极限运动。给校报写一篇文章，谈一谈你的看法。

以下是别人的观点，你可以参考，也可以提出自己的意见，但必须明确表示倾向。

字数：250–300 个汉字。满分为 22 分，其中内容占 10 分，语言占 12 分。

尝试极限运动对自己是一个挑战。

极限运动很危险，甚至会威胁生命。

答题技巧

1. **审清题意：理解情景，把握关键词，找到议论性的话题、受众和文体格式**

   议论性的话题：有些青少年热衷于做极限运动

   受众：学生、老师、校长、家长

   文体：校报文章

2. **内容构建：确定立场，利用题目中的提示信息，拓展观点**

你的立场：支持	你的立场：反对
可利用的提示信息：尝试极限运动对自己是一个挑战。	可利用的提示信息：极限运动很危险，甚至会威胁生命。
补充其他观点，使内容充足，有理有据。	补充其他观点，使内容充足，有理有据。

   注意你的立场要有明确的倾向性，只可持一方观点。

3. **安排结构：整体构思，理清思路，段落结构清晰合理**

   文章结构完整，层次分明，恰当使用连接词，让段落衔接自然。

4. **语言运用：行文流畅，语言表达准确、丰富**

   词语准确、丰富，适当运用较复杂的语言结构，注意词语搭配。标点符号准确，字迹工整。

思维导图

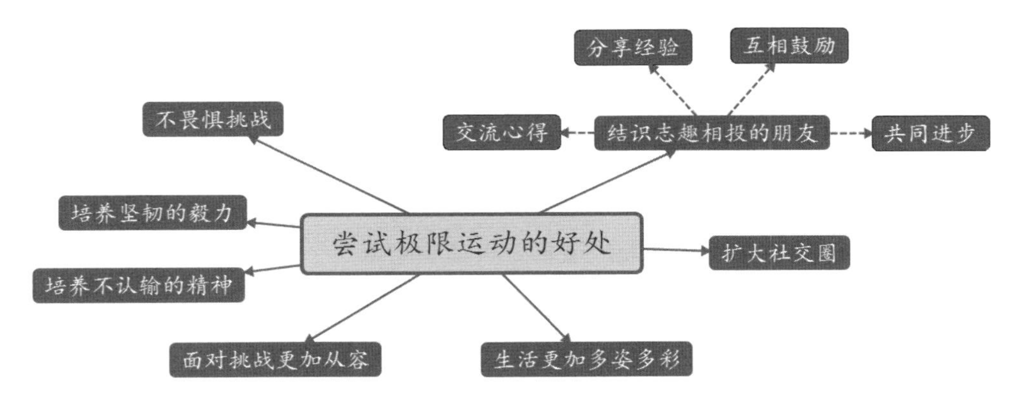

高分范文

极限运动

作者：李晓（十一年级）

现在不少年轻人热衷于挑战高难度的极限运动，比如山地自行车、滑翔伞等。在我们身边，无论家长、老师还是同龄人，有人支持也有人反对。我个人认为，尝试极限运动对年轻人的发展利大于弊。原因有以下几点：

引出话题，表明自己的观点：极限运动利大于弊。

首先，尝试极限运动让年轻人不畏惧挑战。由于极限运动具有一定的难度，对人的身体协调性、技术的准确度和熟练度等都有相当高的要求。尝试极限运动的人往往会经历成千上百次的失败才能获得成功，他们也需要具备坚韧的毅力才能一次次突破难关。这个过程可以培养年轻人不认输的精神，未来面对人生中其他的挑战时也会更加从容。

解释第一个原因：让年轻人不畏惧挑战。

其次，年轻人在参与极限运动的过程中可以结识志趣相投的朋友，扩大社交圈。一群热衷极限运动的年轻人在一起时有很多的共同语言，他们可以交流心得、互相鼓励，也可以分享彼此成功或失败

解释第二个原因：扩大社交圈。

的经验。能有这样的一群志同道合的好朋友，生活会更加多姿多彩。

尽管很多人认为极限运动很危险，尝试极限运动就是在“玩命”，但任何运动都有一定的风险，都需要参与者有足够的安全意识。而正是因为极限运动较其他运动危险度更高，通常会由经验丰富的专业人士在场指导，循序渐进地练习。在尝试极限运动时，年轻人一定不能单纯地追求刺激或吸引别人的注意力，应该确保有可靠的安全措施，小心谨慎、量力而为。

先提出反对极限运动的看法，再进行反驳。

总结来说，做极限运动可以让年轻人挑战自我、扩大社交圈。如果年轻人真正爱好极限运动，我支持他们追求自己喜爱的活动，但在过程中一定要注意安全。

总结上文提出的原因，重申自己的观点。

话题 5：沟通新方式

模拟练习

题目一：根据电话公司的统计，现代人打电话的次数越来越少，而发信息的数量越来越多。你认为哪一种沟通方式更好？写一篇演讲稿，谈一谈你的看法。

以下是别人的观点，你可以参考，也可以提出自己的意见，但必须明确表示倾向。

字数：250–300 个汉字。满分为 22 分，其中内容占 10 分，语言占 12 分。

打电话沟通能让人觉得更加亲密。

发信息比打电话更方便、更灵活。

答题技巧

1. **审清题意：理解情景，把握关键词，找到议论性的话题、受众和文体格式**

   议论性的话题：打电话好还是发信息好

   受众：学生、老师、校长、家长

   文体：演讲稿

2. **内容构建：确定立场，利用题目中的提示信息，拓展观点**

你的立场：打电话好	你的立场：发信息好
可利用的提示信息：打电话沟通能让人觉得更加亲密。	可利用的提示信息：发信息比打电话更方便、更灵活。
补充其他观点，使内容充足，有理有据。	补充其他观点，使内容充足，有理有据。

   注意你的立场要有明确的倾向性，只可持一方观点。

3. **安排结构：整体构思，理清思路，段落结构清晰合理**

   文章结构完整，层次分明，恰当使用连接词，让段落衔接自然。

4. **语言运用：行文流畅，语言表达准确、丰富**

   词语准确、丰富，适当运用较复杂的语言结构，注意词语搭配。标点符号准确，字迹工整。

思维导图

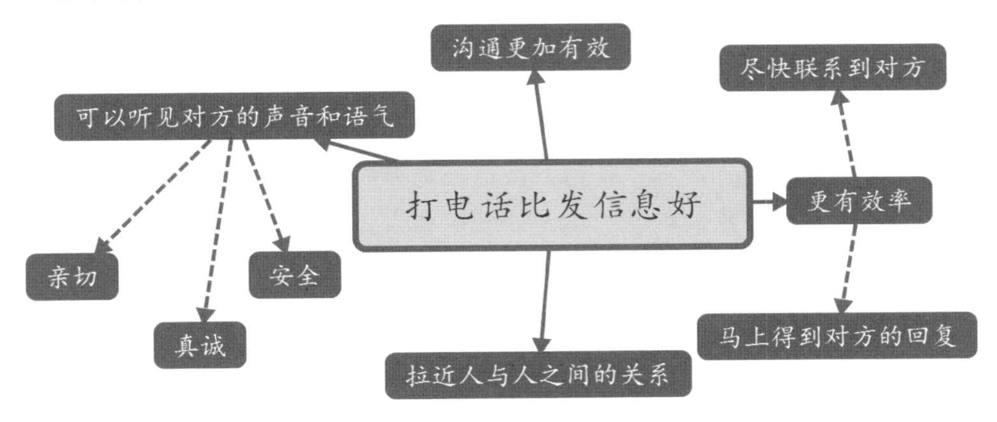

高分范文

老师们、同学们：

大家好！我是十年级的陈玲玲。先问大家一个问题，你们有多久没和家人、朋友打电话了呢？根据电话公司的统计，现代人打电话和家人、朋友沟通的次数越来越少，而发信息的数量越来越多，因为他们觉得发信息比打电话更方便、更灵活。但是我不同意，我认为打电话才是更好的沟通方式。

引出话题，表明自己的观点：打电话是更好的沟通方式。

首先，打电话沟通能拉近人与人之间的关系。打电话时，我们能听到对方的声音和语气，同时也知道对方在聆听我们说的话。很多人在过年、过节的时候会群发祝福给亲朋好友。这时候，如果我们收到一通电话的问候就会感到格外亲切，因为熟悉的声音远比信息中空洞的文字显得更真诚。

举例说明第一个原因：打电话能拉近人与人之间的距离。

其次，打电话比发信息更有效率。打电话可以尽快联系到对方，也能马上得到对方的回复。但是，一通电话可以说清楚的事情，信息需要发很多条，还要焦急地等待对方的回复，有时候还可能因为打错字造成不必要的误解。

解释第二个原因：打电话更有效率。

最后，打电话是更安全的沟通方式。因为打电话时听得到对方的声音，我们可以确认对方的身份。但是发信息就不同了。现在有不少信息诈骗案，骗徒靠盗取手机号码或者聊天儿账号来冒充别人的身份，然后向他们的亲友骗取钱财。

解释第三个原因：打电话更安全。

虽然科技发展给我们提供了更多的沟通方式，但是我们还是应该常常给家人、朋友打个电话，不要让人与人之间的关系越来越疏远。谢谢大家！

重申自己的观点。

模拟练习

题目二：上课时，同学们讨论了“在网上课程越来越受欢迎的今天，学生是否还有必要在学校上课”的话题。给校报写一篇文章，谈谈你的看法。以下是别人的观点，你可以参考，也可以提出自己的意见，但必须明确表示倾向。

字数：250–300 个汉字。满分为 22 分，其中内容占 10 分，语言占 12 分。

网上课程完全依赖学生自学，学习效果不好。

学校上课时间固定，没有自由。

答题技巧

1. **审清题意：理解情景，把握关键词，找到议论性的话题、受众和文体格式**

   议论性的话题：选择网上课程还是在学校上课

   受众：学生、老师、校长、家长

   文体：校报文章

2. **内容构建：确定立场，利用题目中的提示信息，拓展观点**

你的立场：选择网络课程	你的立场：选择在学校上课
可利用的提示信息：学校上课时间固定，没有自由。	可利用的提示信息：网上课程完全依赖学生自学，学习效果不好。
补充其他观点，使内容充足，有理有据。	补充其他观点，使内容充足，有理有据。

   注意你的立场要有明确的倾向性，只可持一方观点。

3. **安排结构：整体构思，理清思路，段落结构清晰合理**

   文章结构完整，层次分明，恰当使用连接词，让段落衔接自然。

4. **语言运用：行文流畅，语言表达准确、丰富**

   词语准确、丰富，适当运用较复杂的语言结构，注意词语搭配。标点符号准确，字迹工整。

思维导图

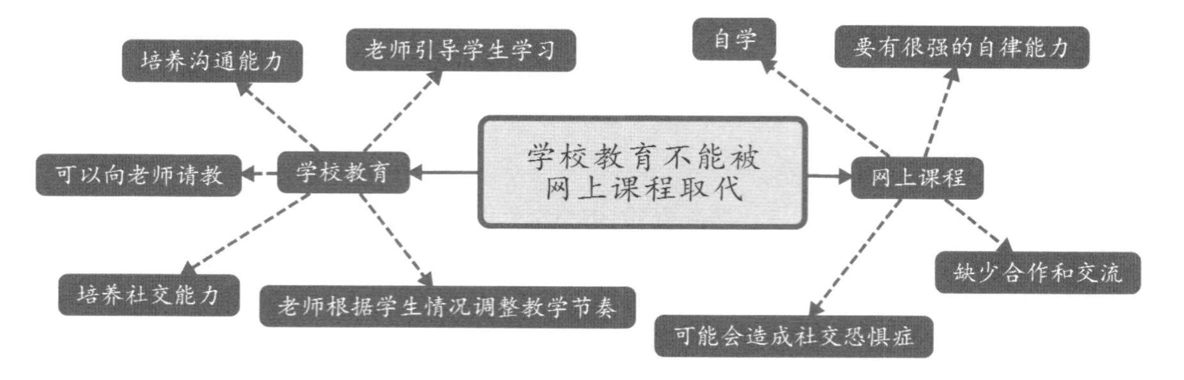

高分范文

学生还需要回学校上课吗？

作者：陈沐（十年级）

随着科技的发展，网上课程越来越受到学生的欢迎。有些人甚至觉得，学生利用网上课程就能学习，没有必要在学校上课。我不同意他们的观点，我认为学校教育是不能被网上课程取代的。

引出话题，表明自己的观点：学校教育不能被网上课程取代。

首先，学生在家中学习网上课程的效果没有在学校好。在学校上课，老师引导着我们学习，也会根据我们的学习情况调整教学节奏。当我们有疑问时，可以马上向老师请教。但是，网上课程完全依赖学生自学，如果学生没有扎实的基础知识，那学习过程中可能困难重重；另外，如果学生的自律意识不强，也会影响学习效果。

解释第一个原因：网上课程的学习效果不如学校好。

其次，学生在家自学网上课程对沟通能力和社交能力也有影响。学校不止是学习的地方，还为学生提供了认识更多新朋友的环境。如果学生留在家中独自学习，生活中缺少和同龄人的交流与合作，久而久之，他们的沟通能力就会受到影响，有些可能还会出现“社交恐惧症”。

解释第二个原因：网上课程影响沟通和社交能力。

尽管网上课程提供的学习资源更加丰富，但是当学生面对五花八门的网上学习资源时，没有老师的专业指导，我们真的可以挑选出最适合自己、最有效的教材吗?

先提出网上课程的一些优势，再进行反驳。

总结来说，从学习效果和社交能力两方面考虑，我认为网上课程不是学生最好的选择，我们还是非常有必要在学校上课的。

总结上文提出的原因，重申自己的观点。

话题 6：电脑和互联网

模拟练习

题目一：随着科技的发展，年轻人的生活越来越离不开互联网。给校报写一篇文章，谈一谈你对年轻人在网上聊天儿的看法。

以下是别人的观点，你可以参考，也可以提出自己的意见，但必须明确表示倾向。

字数：250–300 个汉字。满分为 22 分，其中内容占 10 分，语言占 12 分。

网上聊天儿给年轻人更多与别人沟通的机会，增强语言能力。

沉迷网上聊天儿影响学习成绩。

答题技巧

1. 审清题意：理解情景，把握关键词，找到议论性的话题、受众和文体格式

   议论性的话题：年轻人在网上聊天儿

   受众：学生、老师、校长、家长

   文体：校报文章

2. **内容构建：确定立场，利用题目中的提示信息，拓展观点**

你的立场：支持	你的立场：反对
可利用的提示信息：网上聊天儿给年轻人更多与别人沟通的机会，增强语言能力。	可利用的提示信息：沉迷网上聊天儿影响学习成绩。
补充其他观点，使内容充足，有理有据。	补充其他观点，使内容充足，有理有据。

注意你的立场要有明确的倾向性，只可持一方观点。

3. **安排结构：整体构思，理清思路，段落结构清晰合理**

文章结构完整，层次分明，恰当使用连接词，让段落衔接自然。

4. **语言运用：行文流畅，语言表达准确、丰富**

词语准确、丰富，适当运用较复杂的语言结构，注意词语搭配。标点符号准确，字迹工整。

思维导图

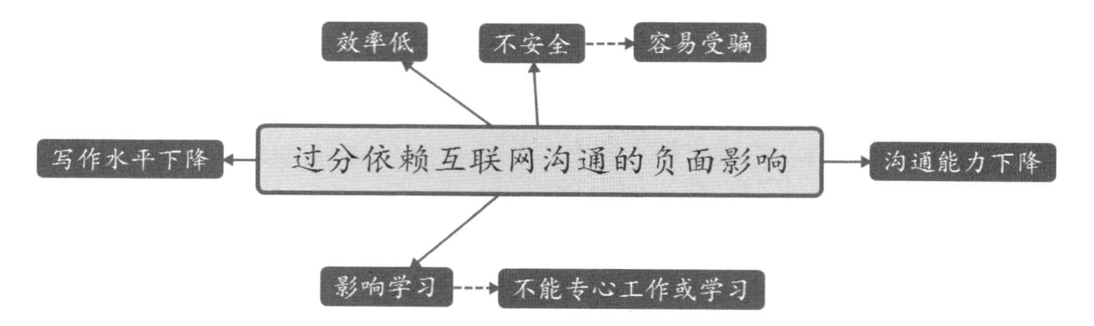

高分范文

互联网沟通对年轻人的影响

作者：佳明（十年级）

近几年，年轻人使用互联网的时间越来越长了。虽然互联网使人与人之间的沟通更方便，但也带来了不少问题。有些年轻人过分依赖互联网沟

引出话题，表明自己的观点：反对过分依赖互联网沟通。

通，导致他们在现实中的社交能力减弱。这是一个严重的问题，我反对年轻人过分依赖互联网沟通。

首先，长时间使用互联网会对年轻人的学业造成负面影响。上网跟别人聊天儿会使人无法专心工作，并大大降低工作效率。有些人的自制能力不足，一旦沉迷于上网就不能自拔。这就是所谓的网瘾。有网瘾的人将所有时间用来上网，所以他们没时间做功课，这会导致他们的学习成绩下降。

解释第一个原因：影响学业。

除了影响学生的学习成绩，依赖互联网来沟通还会让年轻人受骗。由于网上聊天儿不需要露面，无法核实对方的身份，所以有时年轻人根本不知道自己在跟谁聊天儿。例如，一个骗子可能用假身份来和年轻人聊天儿。等到骗子得到了年轻人的信任，再以各种手段骗取金钱或个人资料。年轻人还没完全成熟，很可能会上骗子的当。

解释第二个原因：可能受骗。

有些人说在网上聊天儿可以给年轻人更多和别人沟通的机会，增强他们的语言能力。我认为这个想法是错的。在网上聊天儿不但不能改善青年人的沟通能力，反而会令他们的语言能力退步。年轻人上网时通常会用"网络用语"沟通，网络用语就是人们在网上聊天儿时为了更快地写出自己想表达的信息而将汉语和英文字母混在一起的"语言"。网络用语不注重语法，只要差不多表达了自己的想法就行了。因此，长期使用网络用语在网上聊天儿会使他们的写作水平下降。

先提出一些人支持网上聊天儿的看法，再进行反驳，并解释第三个原因：影响语言能力。

总之，过分依靠互联网沟通既会影响年轻人的学业成绩，也可能让他们受骗，还会使他们的语言能力退步，所以我坚决反对年轻人过分依赖互联网沟通。

总结上文提出的原因，重申自己的观点。

模拟练习

题目二：学校打算禁止学生在校内玩儿电脑游戏，给校长写一封信，谈谈你对这个问题的看法。

以下是别人的观点，你可以参考，也可以提出自己的意见，但必须明确表示倾向。

字数：250-300 个汉字。满分为 22 分，其中内容占 10 分，语言占 12 分。

禁止学生在学校玩儿电脑游戏可以让学生专心学习、提高成绩。

玩儿电脑游戏可以放松心情、释放压力。

答题技巧

1. **审清题意：理解情景，把握关键词，找到议论性的话题、受众和文体格式**

   议论性的话题：学校打算禁止学生在校内玩儿电脑游戏

   受众：校长

   文体：书信

2. **内容构建：确定立场，利用题目中的提示信息，拓展观点**

你的立场：支持	你的立场：反对
可利用的提示信息：禁止学生在学校玩儿电脑游戏可以让学生专心学习、提高成绩。	可利用的提示信息：玩儿电脑游戏可以放松心情、释放压力。
补充其他观点，使内容充足，有理有据。	补充其他观点，使内容充足，有理有据。

   注意你的立场要有明确的倾向性，只可持一方观点。

3. **安排结构：整体构思，理清思路，段落结构清晰合理**

   文章结构完整，层次分明，恰当使用连接词，让段落衔接自然。

4. **语言运用：行文流畅，语言表达准确、丰富**

   词语准确、丰富，适当运用较复杂的语言结构，注意词语搭配。标点符号准确，字迹工整。

思维导图

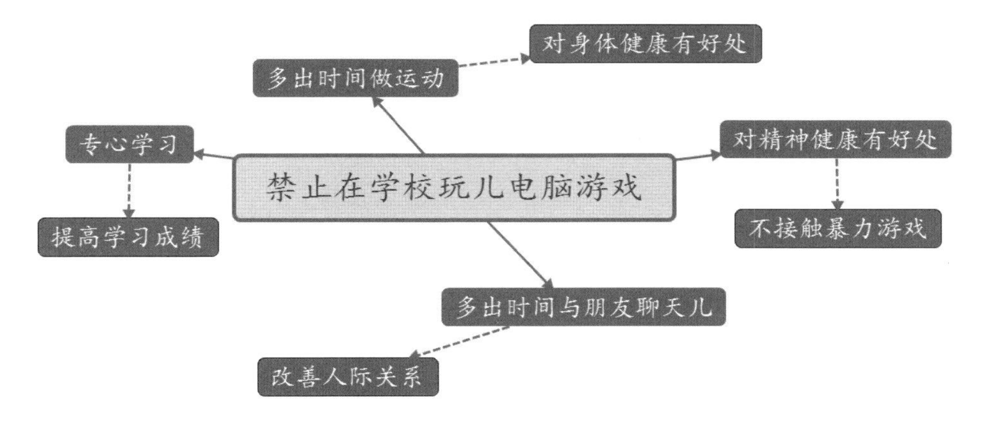

高分范文

尊敬的王校长：

您好！我是十年级的梁小雨。我知道学校打算禁止学生在校内玩儿电脑游戏。我非常同意学校的这个做法。我认为这样做会对学生有很多好处。

引出话题，表明自己的观点：支持学校禁止学生在校内玩儿电脑游戏。

首先，禁止学生在校内玩儿电脑游戏可以让学生专心学习，提高成绩。学校应该是学习的地方，学生如果把时间花在玩儿电脑游戏上，那学习的时间就会大大减少。现在很多学生利用课间、午休时间玩儿电脑游戏，有些学生甚至沉迷于电脑游戏，上课的时候无法集中注意力。他们越玩儿电脑游戏越无心学习，结果成绩一落千丈。

解释第一个原因：玩儿电脑游戏影响学习。

其次，在学校玩儿电脑游戏还会影响学生的人际关系。沉于迷电脑游戏的学生不喜欢和身边的同学交流，他们经常躲在教室的角落，一个人对着电脑屏幕玩儿游戏，这样他们的交际能力会越来越差。一些电脑游戏还有血腥、暴力的内容，学生受电脑游戏的影响可能产生暴力倾向，身边的朋友只会渐渐和他们疏远。

解释第二个原因：玩儿电脑游戏影响人际关系。

我知道不少学生认为玩儿电脑游戏可以帮助他们释放学习压力，但是他们在电脑游戏中获得的只是精神上短暂的愉快感，打游戏的时候通常精神紧张，并没有真正的放松。学生可以选择更好的减压方式，比如，中午去操场打打篮球，或者和朋友聊聊天儿等。

先提出一些人支持玩儿电脑游戏的看法，再进行反驳。

综上所述，我认为玩儿电脑游戏对学生的学业和人际关系都没有好处。因此，我十分赞成禁止学生在校内玩儿电脑游戏这个做法。

总结上文提出的原因，重申自己的观点。

祝您工作顺利！

学生

梁小雨

2018 年 4 月 12 日

练习题库

1. 有家长认为儿童要从小学会做家务。写一篇演讲稿，谈一谈你的看法。
   以下是别人的观点，你可以参考，也可以提出自己的意见，但必须明确表示倾向。
   字数：250–300 个汉字。满分为 22 分，其中内容占 10 分，语言占 12 分。

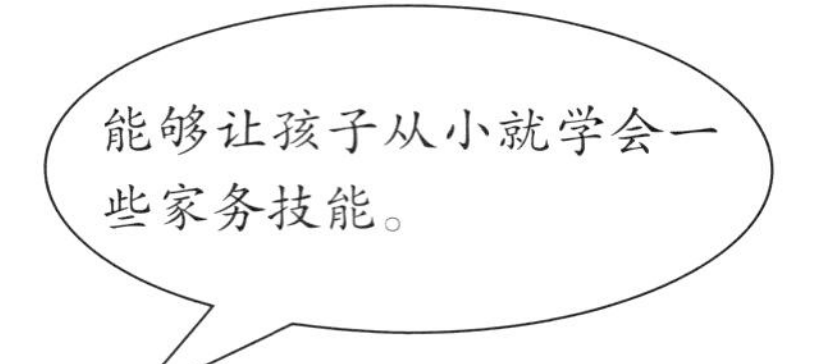

孩子的主要任务是学习，长大后自然就会做家务了。

2. 很多家长都会为 15–18 岁的孩子做重要的决定。给报刊写一篇文章，谈一谈你的看法。
   以下是别人的观点，你可以参考，也可以提出自己的意见，但必须明确表示倾向。

字数：250–300 个汉字。满分为 22 分，其中内容占 10 分，语言占 12 分。

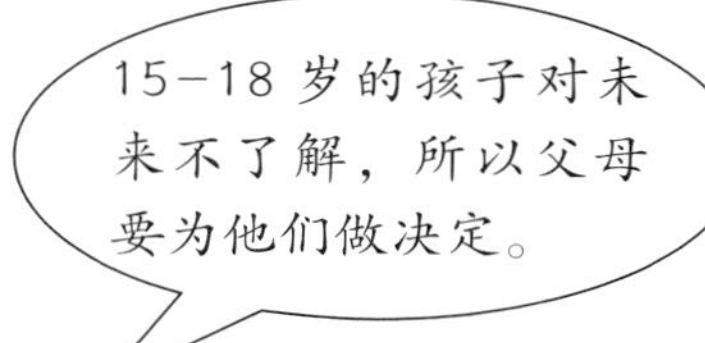

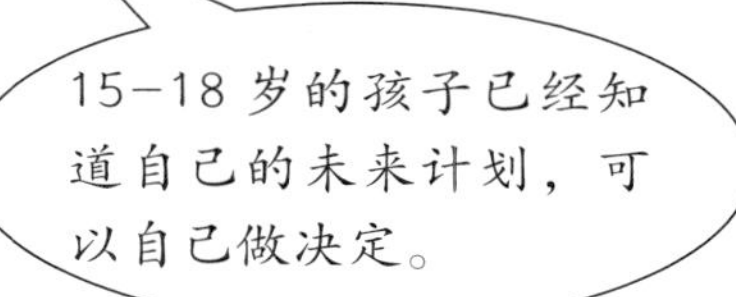

3. 今天在课堂上学到一篇关于家庭关系的课文，老师说：“父母是孩子最好的老师。”写一篇演讲稿，谈一谈你的看法。

   以下是别人的观点，你可以参考，也可以提出自己的意见，但必须明确表示倾向。

   字数：250–300 个汉字。满分为 22 分，其中内容占 10 分，语言占 12 分。

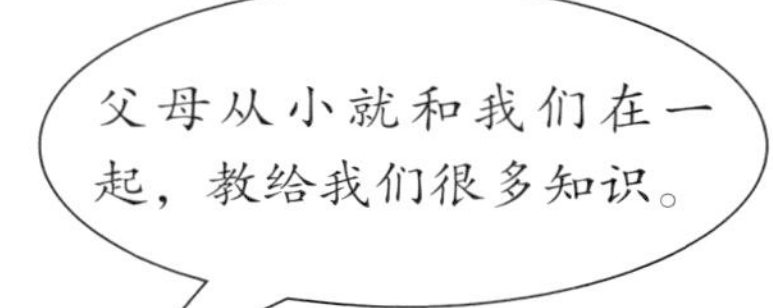

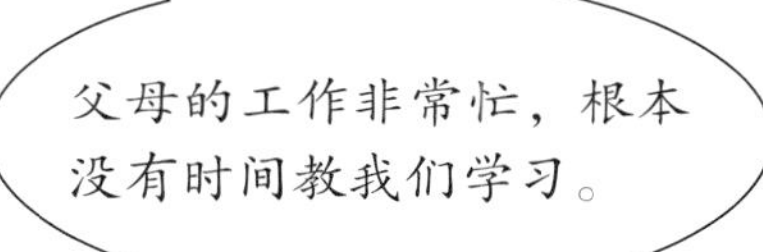

4. 很多人都认为，老年人社会经验丰富，所以年轻人事事都要听老年人的。写一篇演讲稿，谈一谈你的看法。

   以下是别人的观点，你可以参考，也可以提出自己的意见，但必须明确表示倾向。

   字数：250–300 个汉字。满分为 22 分，其中内容占 10 分，语言占 12 分。

老年人可以教给年轻人丰富的人生经验。

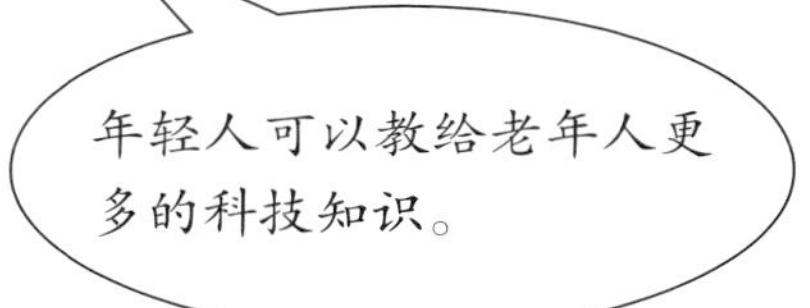

5. 很多人都说“早睡早起身体好”。写一篇演讲稿，谈一谈你的看法。

   以下是别人的观点，你可以参考，也可以提出自己的意见，但必须明确表示倾向。

字数：250–300 个汉字。满分为 22 分，其中内容占 10 分，语言占 12 分。

早上起床后头脑清醒，更容易学习。

早上起得太早会造成睡眠不足，影响一天的学习。

6. 有人认为做运动是减轻压力最好的方法。给校刊写一篇文章，谈一谈你的看法。

以下是别人的观点，你可以参考，也可以提出自己的意见，但必须明确表示倾向。

字数：250–300 个汉字。满分为 22 分，其中内容占 10 分，语言占 12 分。

做运动可以暂时忘掉学习中不愉快的事情，可以减轻压力。

因为做运动所以没有时间做作业和复习，压力更大。

7. 今天在课上，老师让学生讨论“人类寿命延长归功于现在科技的进步”。写一篇演讲稿，谈一谈你的看法。

以下是别人的观点，你可以参考，也可以提出自己的意见，但必须明确表示倾向。

字数：250–300 个汉字。满分为 22 分，其中内容占 10 分，语言占 12 分。

医学科技令很多疾病得到及时的治疗。

空气污染使越来越多的人得了癌症，寿命缩短。

8. 很多人认为电影和电视只是一种休闲娱乐方式，对一个人的成长不会有太大的影响。给校刊写一篇文章，谈一谈你的看法。

以下是别人的观点，你可以参考，也可以提出自己的意见，但必须明确表示倾向。

字数：250–300 个汉字。满分为 22 分，其中内容占 10 分，语言占 12 分。

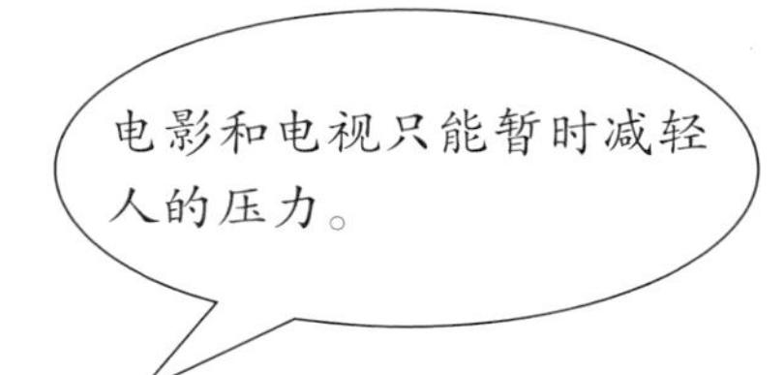

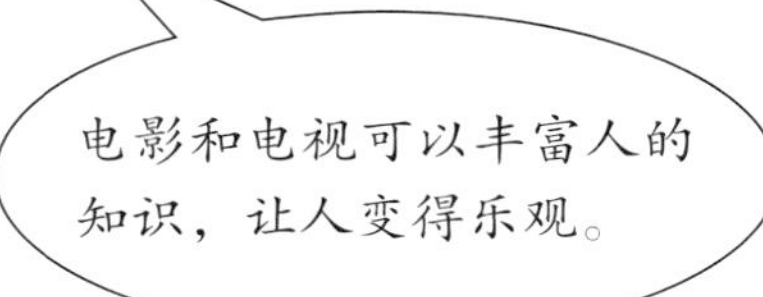

9. 很多人都认为去演出现场看表演比在家看电视好。写一篇日记，谈一谈你的看法。

以下是别人的观点，你可以参考，也可以提出自己的意见，但必须明确表示倾向。

字数：250–300 个汉字。满分为 22 分，其中内容占 10 分，语言占 12 分。

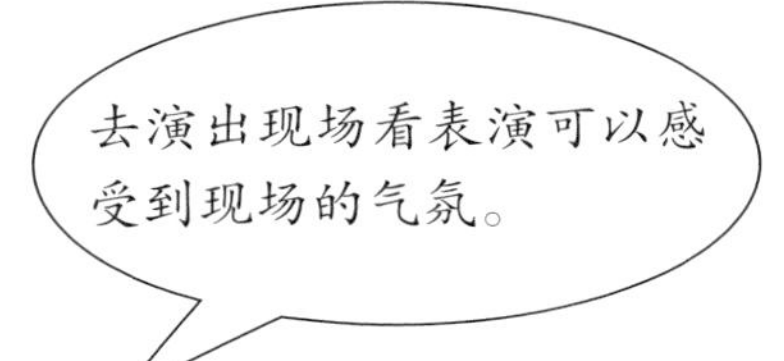

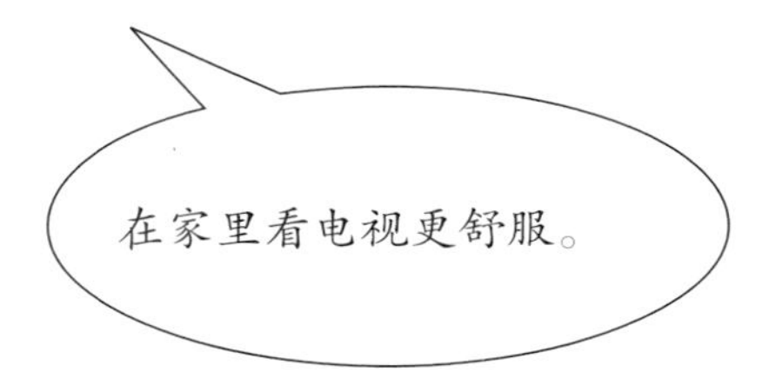

10. 你的父母对弟弟经常在电视上看喜剧非常不理解。给妈妈写一封信，谈一谈你的看法。

以下是别人的观点，你可以参考，也可以提出自己的意见，但必须明确表示倾向。

字数：250–300 个汉字。满分为 22 分，其中内容占 10 分，语言占 12 分。

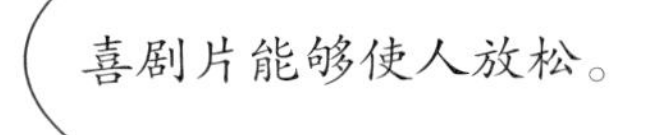

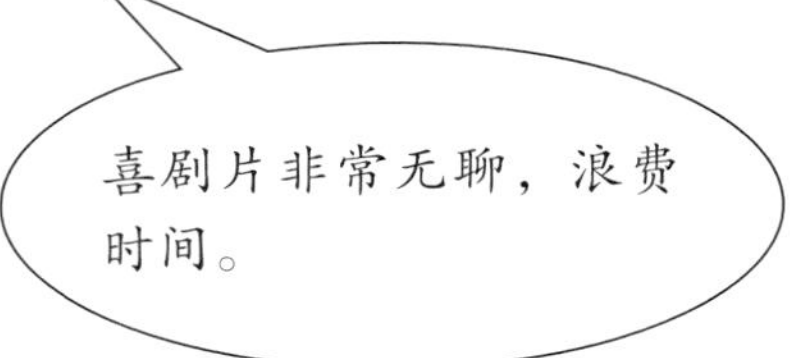

11. 有人说，从电影里我们可以了解一个国家的情况。给校刊写一篇文章，谈一谈你的看法。

以下是别人的观点，你可以参考，也可以提出自己的意见，但必须明确表示倾向。

字数：250–300 个汉字。满分为 22 分，其中内容占 10 分，语言占 12 分。

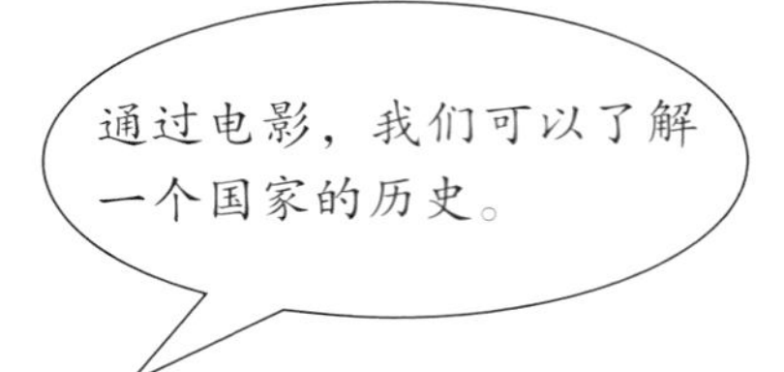

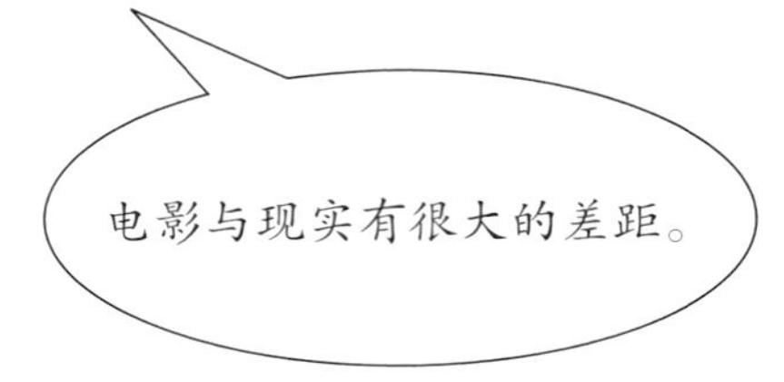

12. 很多家长都认为，玩儿电脑游戏对学生百害而无一利。写一篇演讲稿，谈一谈你的看法。

以下是别人的观点，你可以参考，也可以提出自己的意见，但必须明确表示倾向。

字数：250–300 个汉字。满分为 22 分，其中内容占 10 分，语言占 12 分。

玩儿电脑游戏可以让人放松，令人快乐。

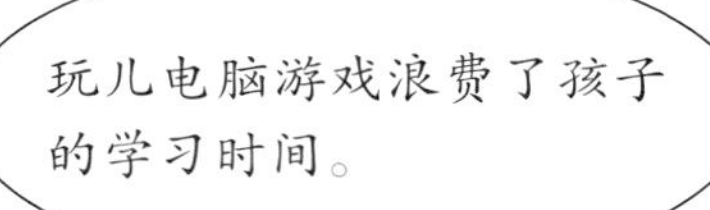

13. 很多教育学家认为孩子在玩儿游戏时也能学习人生经验。写一篇演讲稿，谈一谈你的看法。

以下是别人的观点，你可以参考，也可以提出自己的意见，但必须明确表示倾向。

字数：250–300 个汉字。满分为 22 分，其中内容占 10 分，语言占 12 分。

和朋友一起玩儿游戏可以培养团队精神。

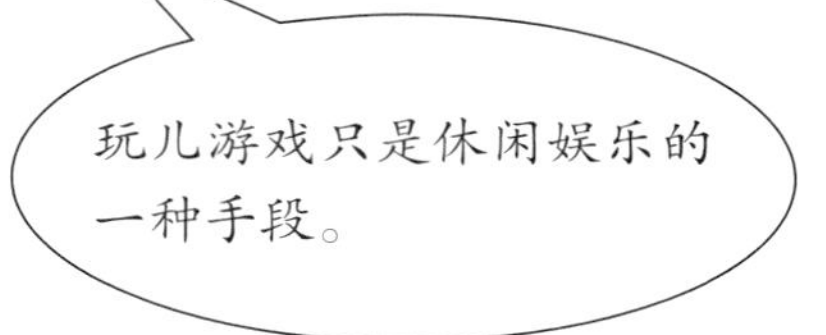

14. 最近在学校网页上有一个专题讨论：面对面交流比网络交流更好。写一篇博客，谈一谈你的看法。

以下是别人的观点，你可以参考，也可以提出自己的意见，但必须明确表示倾向。

字数 :250–300 个汉字。满分为 22 分，其中内容占 10 分，语言占 12 分。

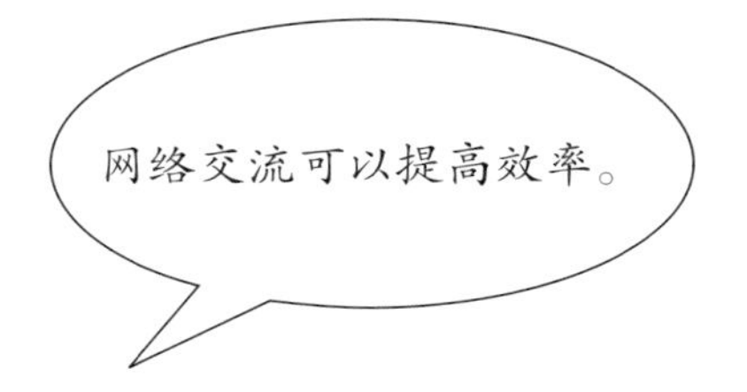

面对面交流有助于培养人与人之间的感情。

15. 如今，手机越来越智能了。给校报写一篇文章，谈一谈你对智能手机的看法。

以下是别人的观点，你可以参考，也可以提出自己的意见，但必须明确表示倾向。

字数 :250–300 个汉字。满分为 22 分，其中内容占 10 分，语言占 12 分。

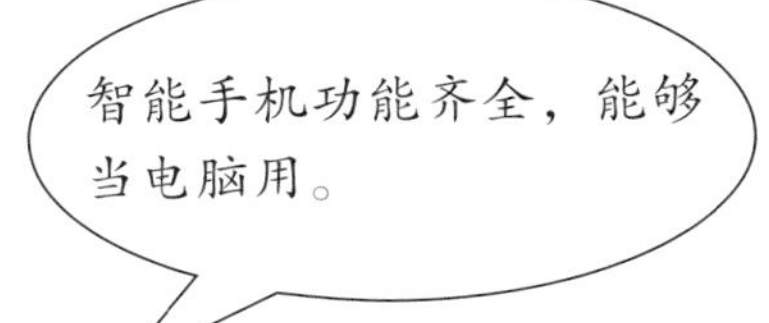

现在的手机越来越贵，更新换代也很快，造成金钱的浪费。

16. 你们在课堂上讨论了“互联网的利弊”这个话题。为教室的壁报写一篇文章，谈一谈你的看法。

以下是别人的观点，你可以参考，也可以提出自己的意见，但必须明确表示倾向。

字数 :250–300 个汉字。满分为 22 分，其中内容占 10 分，语言占 12 分。

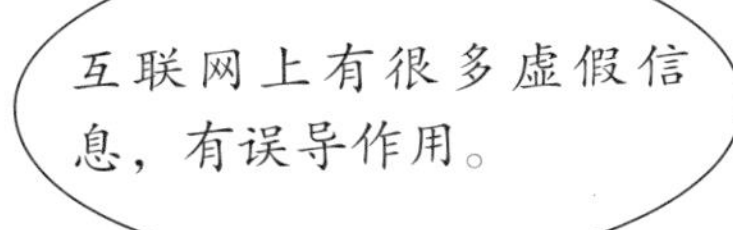

互联网使人们的生活变得更加方便。

17. 在一次辩论比赛中，你抽到一个辩题：现代科技已经创建了世界的单一文化。写一篇辩论稿，谈一谈你的看法。

以下是别人的观点，你可以参考，也可以提出自己的意见，但必须明确表示倾向。

字数 :250–300 个汉字。满分为 22 分，其中内容占 10 分，语言占 12 分。

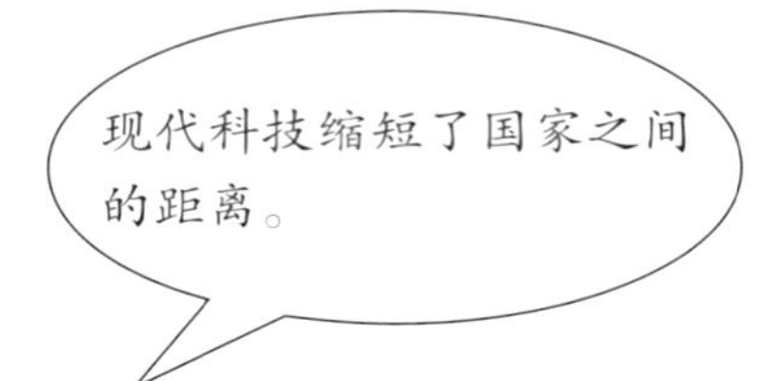

各国固有和独特的文化是不会因为科技的发展而改变的。

18. 每个周末你都去一间老人院教老人们如何使用电脑。写一篇日记，谈一谈你对老年人学电脑的看法。

以下是别人的观点，你可以参考，也可以提出自己的意见，但必须明确表示倾向。

字数 :250–300 个汉字。满分为 22 分，其中内容占 10 分，语言占 12 分。

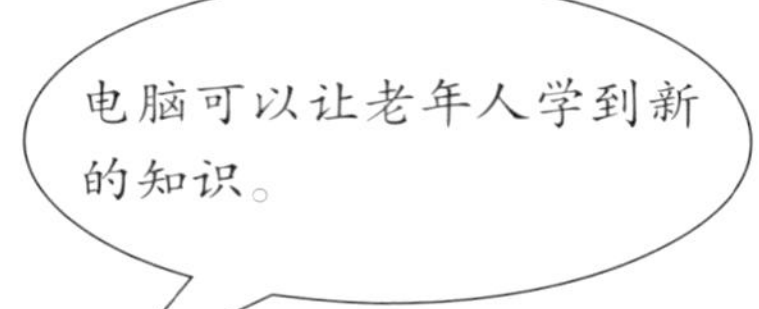

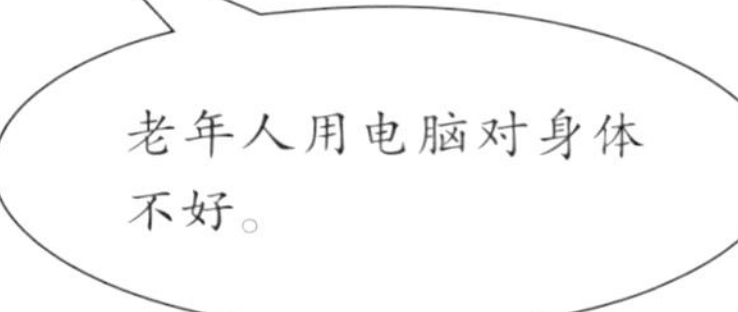

主题高频词

词语	拼音	英文	词语	拼音	英文
压力	yā lì	pressure	科技产品	kē jì chǎn pǐn	high-tech product
减压	jiǎn yā	to release pressure	互联网	hù lián wǎng	Internet
释放	shì fàng	to release	上网	shàng wǎng	to surf the Internet

3. 安排结构：整体构思，理清思路，段落结构清晰合理

文章结构完整，层次分明，恰当使用连接词，让段落衔接自然。

4. 语言运用：行文流畅，语言表达准确、丰富

词语准确、丰富，适当运用较复杂的语言结构，注意词语搭配。标点符号准确，字迹工整。

思维导图

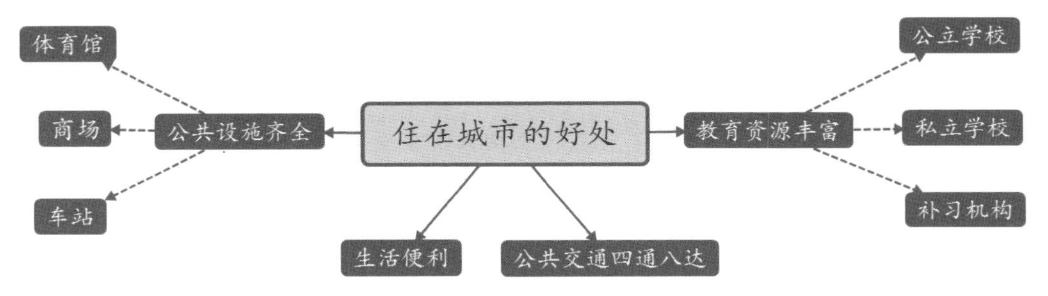

高分范文

亲爱的美玲：

你好！好久没联系了。我们家几个月前从郊区搬到繁华的城市里来了。因为爸爸换了工作，新的公司离郊区很远，我们都认为搬家是最好的选择。我刚搬到城市时非常不习惯，也因为担心适应不了城市生活感到紧张。可是，在这里住了一段时间后，我发现住在城市的好处远远大于坏处。

引出话题，表明自己的观点：住在城市的好处多。

首先，我们家附近公共设施齐全，比如体育馆、商场、车站等，这让我们的生活更加便利。以前妈妈买菜要去离家很远的地方，现在我们小区里就有一间24小时营业的超级市场。另外，我们住的小区好像是高楼林立的城市中的小花园，到处种满了花草树木，环境非常优美。每天吃完晚饭，我会和爸爸、妈妈一起下来散散步。

举例说明第一个原因：城市的公共设施齐全。

其次，城市有更多的教育资源，有公立学校、私立学校，还有很多补习机构。我可以受到更好的教育。我现在的学校有各种各样的教学设备，比如互动白板、实物投影器，这些科技产品可以帮助我更有效地学习。

举例说明第二个原因：城市有更多的教育资源。

虽然城市没有郊区空气清新，街道拥挤，有时还会塞车，但是这里的公共交通四通八达，无论去任何地方都很方便、快捷，让我们省了不少时间。

先提出城市的缺点，再强调城市的好处。

总而言之，我觉得城市里的生活更加优越，好处多多，我和家人现在都很享受居住在城市里的生活。

重申自己的观点。

希望你有空给我回信，说说你的生活。

祝你生活愉快！

小晴

2018年5月10日

模拟练习

题目二：最近，你的哥哥收到了两所外国大学的录取通知书。这两所大学他都很满意，只是一所在繁华的大城市，另一所在偏僻、安静的郊区。给哥哥写封信，说说你的想法。

以下是别人的观点，你可以参考，也可以提出自己的意见，但必须明确表示倾向。

字数：250–300个汉字。满分为22分，其中内容占10分，语言占12分。

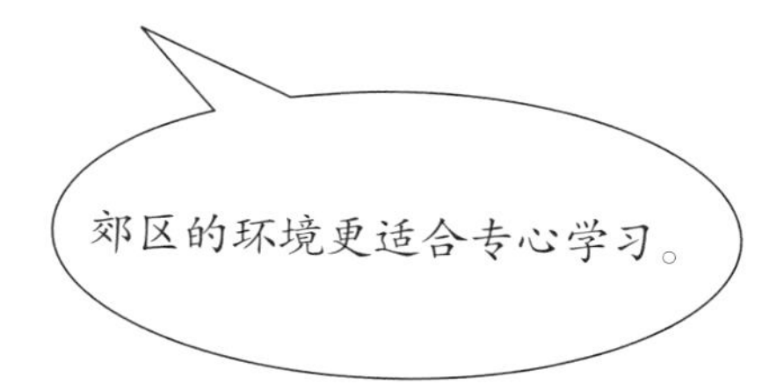

答题技巧

1. **审清题意：理解情景，把握关键词，找到议论性的话题、受众和文体格式**

   议论性的话题：去大城市还是郊区上大学

   受众：哥哥

   文体：书信

2. **内容构建：确定立场，利用题目中的提示信息，拓展观点**

你的立场：去大城市	你的立场：去郊区
可利用的提示信息：大城市有更多的工作机会。	可利用的提示信息：郊区的环境更适合专心学习。
补充其他观点，使内容充足，有理有据。	补充其他观点，使内容充足，有理有据。

   注意你的立场要有明确的倾向性，只可持一方观点。

3. **安排结构：整体构思，理清思路，段落结构清晰合理**

   文章结构完整，层次分明，恰当使用连接词，让段落衔接自然。

4. **语言运用：行文流畅，语言表达准确、丰富**

   词语准确、丰富，适当运用较复杂的语言结构，注意词语搭配。标点符号准确，字迹工整。

思维导图

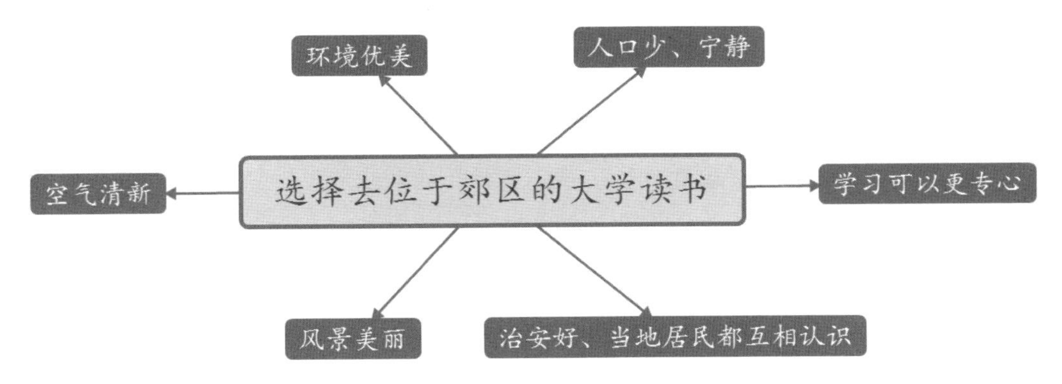

高分范文

亲爱的哥哥：

你好！听说最近你收到了两所外国大学的录取通知书，先在这儿恭喜你！我知道虽然这两所大学你都很满意，只是一所在繁华的大都市，另一所在偏远、安静的郊区，你还没决定应该去哪一所大学。让我来说说我的看法吧，我认为你应该选择在郊区的大学。

引出话题，表明自己的观点：应该选择在郊区的大学。

第一，郊区的大学生活宁静，环境优美，更适合专心学习。因为没有大城市的繁华热闹，学生的校园生活很简单，可以不受干扰，把更多精力放在学习上。你不用担心住在郊区休闲生活会很无聊，郊区的环境很适合做户外运动，你可以享受大自然的美丽风景，呼吸新鲜的空气，对身体健康还有好处。另外，郊区并不是完全没有娱乐和休闲设施，只是生活规模比较小，周末的时候你还是可以和朋友一起去买东西、看电影，放松休息一下。

说明第一个原因：郊区的环境更适合专心学习。

第二，在郊区生活更容易有归属感。郊区人口比较少，生活在同一个社区的人都互相认识，邻里关系也更友好，因此，郊区的治安一般也比大城市好。当地居民对留学生更热情，如果留学生遇到生活上的困难他们也愿意伸出援手。我听说大学在节假日会举办一些回报当地社区的活动，多去参加一些这样的活动可以更好地融入当地的生活，还能多认识一些朋友。

说明第二个原因：在郊区生活更容易有归属感。

尽管你担心在郊区上大学以后的工作机会比较少，但是现在很多公司都会去大学举办校园招聘会，你也可以在网上投简历找工作，相信只要你有

先提出哥哥的顾虑，再给出一些建议。

强大的竞争力，毕业以后就一定能找到好的工作。

总而言之，我认为你应该选择在郊区的大学，因为那儿的校园学习氛围更好，社区生活也更简单舒适。希望你可以参考我的意见，但是无论你做出什么选择我都会支持你。

祝你生活愉快！

弟弟

家豪

2018年6月2日

总结上文提出的原因，重申自己的观点。

话题2：旅游

模拟练习

题目一：你和家人正在计划一起出去旅游，但不知道应该自由行还是应该跟团。给父母写一封信，谈一谈你的看法。

以下是别人的观点，你可以参考，也可以提出自己的意见，但必须明确表示倾向。

字数：250–300个汉字。满分为22分，其中内容占10分，语言占12分。

跟团比较安全，因为导游对环境比较熟悉。

自由行可以根据自己的喜好安排景点，自由度大。

答题技巧

1. 审清题意：理解情景，把握关键词，找到议论性的话题、受众和文体格式

   议论性的话题：自由行还是跟团旅行

   受众：父母

   文体：书信

2. **内容构建：确定立场，利用题目中的提示信息，拓展观点**

你的立场：自由行	你的立场：跟团旅行
可利用的提示信息：自由行可以根据自己的喜好安排景点，自由度大。	可利用的提示信息：跟团比较安全，因为导游对环境比较熟悉。
补充其他观点，使内容充足，有理有据。	补充其他观点，使内容充足，有理有据。

注意你的立场要有明确的倾向性，只可持一方观点。

3. **安排结构：整体构思，理清思路，段落结构清晰合理**

文章结构完整，层次分明，恰当使用连接词，让段落衔接自然。

4. **语言运用：行文流畅，语言表达准确、丰富**

词语准确、丰富，适当运用较复杂的语言结构，注意词语搭配。标点符号准确，字迹工整。

思维导图

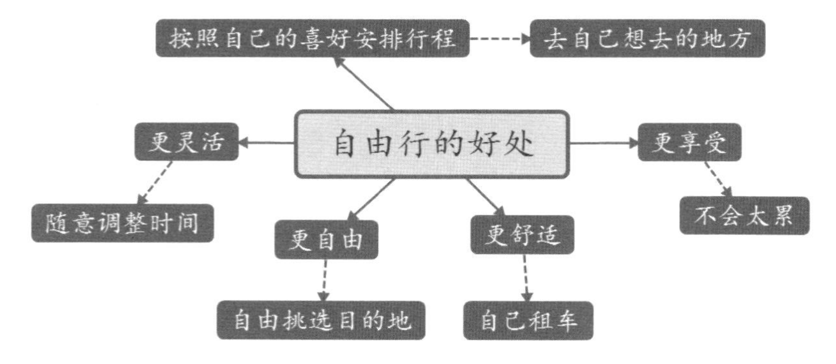

高分范文

亲爱的爸爸、妈妈：

你们好！我们很快就要全家人一起去旅行了！真是太令人期待了！但昨天为了选择自由行还是跟团游争执不下，大家都各有各的道理。作为家庭里的一份子，我想发表一下自己的看法。我认为这次家庭旅行我们应该自由行。

引出话题，表明自己的观点：应该自由行。

首先，选择自由行，我们可以按照自己的喜好安排行程，要是当中有变化的话也可以灵活调节。我们可以随意选择景点，决定逗留的时间，订我们想住的酒店，去我们喜欢的餐厅。如果参加旅行团，那行程基本上就是“上车睡觉、下车拍照”，不管去哪儿都是走马观花，时间上要和其他团友互相迁就，食宿也常常差强人意。

解释第一个原因：可以按照自己的喜好安排行程。

其次，我们选择自由行不会感到太多困难。你们俩都有驾照，所以我们可以租一辆车，让你们轮流开，这样既舒适又安全，你们也不会太累，我们一家人还可以说说笑笑。现在的导航系统非常先进、准确，我们也不用担心找不到目的地。而且，我们这次旅行的目的地是说英语的国家，我们一家人都会说英语，完全不用担心和当地人沟通不了的问题。如果想要查找当地的旅游资料，上网就可以了，根本不需要导游。

解释第二个原因：选择自由行不会感到太多困难。

虽然像妈妈说的，跟团游不用自己操心安排行程，自由行的话，如果行程安排得不尽如人意，我们反而更无法享受旅程。但是，旅行团的时间都安排得比较紧凑，常常很早就要起床。要是我们休息不好，那怎么能尽兴旅行呢？

先提出跟团游的好处，再进行反驳。

自由行让我们有选择的自由，跟家人共享美好时光，绝对会让我们更好地享受旅程。我认为我们选择自由行能一起创造更多难忘的回忆！请你们好好儿考虑一下我的意见。

总结上文提出的原因，重申自己的观点。

祝你们身体健康！

儿子

信华

2018 年 7 月 12 日

模拟练习

题目二：你在暑假去了很多地方旅游。给校报写一篇文章，谈一谈你对旅游的看法。

以下是别人的观点，你可以参考，也可以提出自己的意见，但必须明确表示倾向。

字数：250—300 个汉字。满分为 22 分，其中内容占 10 分，语言占 12 分。

旅游可以让人放松身心，保持愉快的心情。

旅游让人感到疲惫，不如在家休息。

答题技巧

1. **审清题意：理解情景，把握关键词，找到议论性的话题、受众和文体格式**

   议论性的话题：对旅游的看法

   受众：学生、老师、校长、家长

   文体：校报文章

2. **内容构建：确定立场，利用题目中的提示信息，拓展观点**

你的立场：旅行的好处	你的立场：旅行的坏处
可利用的提示信息：旅游可以让人放松身心、保持愉快的心情。	可利用的提示信息：旅游让人感到疲惫，不如在家休息。
补充其他观点，使内容充足，有理有据。	补充其他观点，使内容充足，有理有据。

   注意你的立场要有明确的倾向性，只可持一方观点。

3. **安排结构：整体构思，理清思路，段落结构清晰合理**

   文章结构完整，层次分明，恰当使用连接词，让段落衔接自然。

4. **语言运用：行文流畅，语言表达准确、丰富**

   词语准确、丰富，适当运用较复杂的语言结构，注意词语搭配。标点符号准确，字迹工整。

思维导图

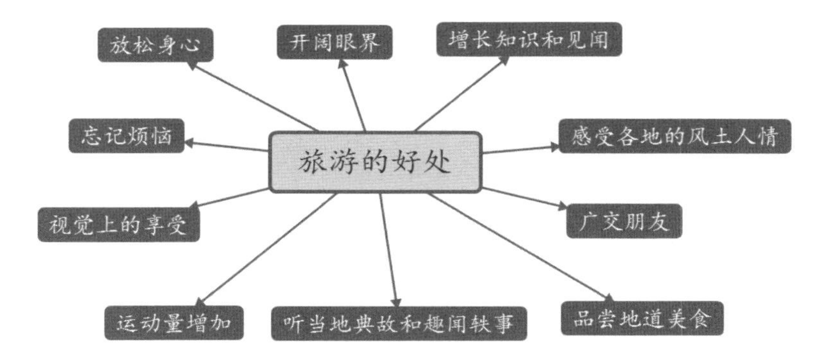

高分范文

旅游的好处

作者：李之恩

暑假一眨眼就过去了，真让人有点儿意犹未尽呢。同学们的暑假过得怎么样？我去了很多地方旅行，有繁华美丽的大都市东京，充满人情味和自然风光的台湾，还有阳光明媚、水清沙白的苏梅岛。我觉得旅游可以带给人很多意想不到的好处，让我和大家分享一下吧。

引出话题，表明自己的观点：旅游有很多好处。

第一，旅游可以让人放松身心、忘记烦恼。大自然的美好景观可以带给人视觉上的享受，在欣赏美景的同时，我们心情也随之愉快起来，学习压力自然就消失了。而且，在旅游的时候，我们每天要去不同的地方参观游览，运动量也不知不觉地增加了，这还有益于身体健康。

解释第一个原因：放松身心、忘记烦恼。

第二，旅游可以开阔眼界，增长知识和见闻。俗话说，“读万卷书，不如行万里路。”在旅游途中，我们可以亲身感受各地的风土人情，品尝地道美食，还有机会听当地人讲那里的典故和趣闻轶

解释第二个原因：开阔眼界，增长知识和见闻。

事。所以说，每一次旅行都能带给我们新的体验和收获，我们的思维也会更加开阔。

第三，旅游可以让我们广交朋友。旅途中会遇见很多有趣的人，有当地人，也有来自世界各地的游客。有时候几句简单的闲聊可以发展成一段难忘的友情。大家结伴出游，不仅可以排遣寂寞，还能为旅途增加无穷的乐趣。

解释第三个原因：广交朋友。

总结来说，旅游能够陶冶性情，是有益身心健康的休闲活动。但是，在旅行中也要注意休息，避免太过劳累，更要注意安全。希望大家有时间多出去走走，感受旅游带来的种种好处。

重申自己的观点。

话题3：居住环境

模拟练习

题目一：政府打算利用你们社区附近的空地建一个大型购物中心，正在向居民做意见调查，一些居民表示应该建公园。给社区报纸写一篇文章，谈谈你的看法。

以下是别人的观点，你可以参考，也可以提出自己的意见，但必须明确表示倾向。

字数：250–300个汉字。满分为22分，其中内容占10分，语言占12分。

大型购物中心使居民的生活更加便利。

公园给居民提供休息、运动的场所。

答题技巧

1. 审清题意：理解情景，把握关键词，找到议论性的话题、受众和文体格式

   议论性的话题：建大型购物中心还是建公园

   受众：社区居民

   文体：报刊文章

2. **内容构建：确定立场，利用题目中的提示信息，拓展观点**

你的立场：建大型购物中心	你的立场：建公园
可利用的提示信息：大型购物中心使居民的生活更加便利。	可利用的提示信息：公园给居民提供休息、运动的场所。
补充其他观点，使内容充足，有理有据。	补充其他观点，使内容充足，有理有据。

注意你的立场要有明确的倾向性，只可持一方观点。

3. **安排结构：整体构思，理清思路，段落结构清晰合理**

文章结构完整，层次分明，恰当使用连接词，让段落衔接自然。

4. **语言运用：行文流畅，语言表达准确、丰富**

词语准确、丰富，适当运用较复杂的语言结构，注意词语搭配。标点符号准确，字迹工整。

思维导图

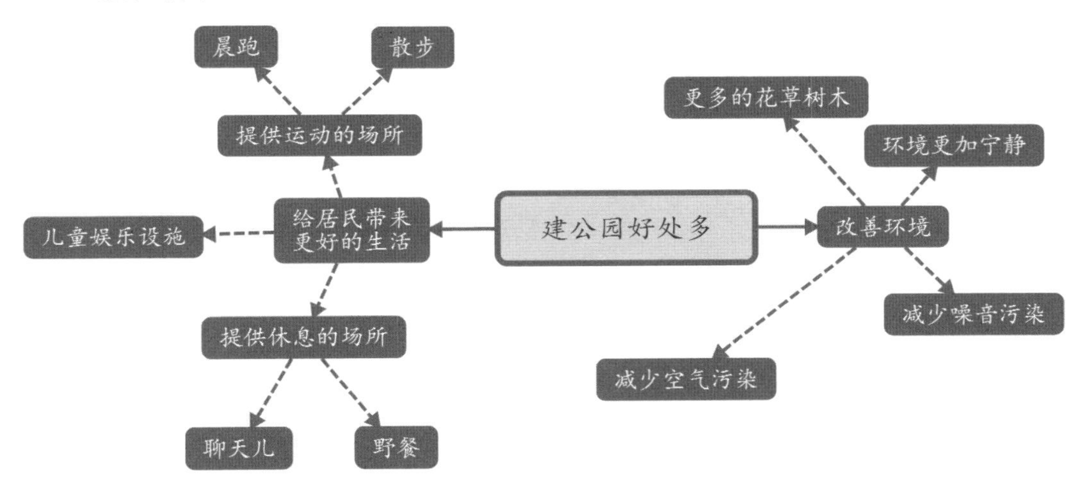

高分范文

建公园好处多

作者：王颖

我们社区附近有一大片空地，政府打算利用那里建一个大型购物中心，最近正在向居民做意见调

引出话题，表明自己的观点：应该建公园。

查，一些居民支持政府的计划，而还有一些居民却表示反对，他们认为应该利用空地建公园。我来谈一谈我的看法，我认为建公园可以带给居民更好的生活。

首先，公园可以为社区居民提供休息、运动的场所。我们可以在茶余饭后去公园散步、聊天儿；小孩子也可以利用公园的设施玩乐；周末的时候一家人一起去公园的草地上野餐；喜欢晨跑的人在公园还可以呼吸到新鲜的空气。这些休闲活动比坐在沙发上看电视或者看电脑健康多了。公园让居民可以在户外消磨时光，我们的生活也更加舒适、健康。

解释第一个原因：为居民提供休息、运动的场所。

除此之外，公园里比较宁静，花草树木也可以净化空气，这样我们的社区既能减少噪音污染，又能减少空气污染。如果建大型购物中心，来往的车辆、购物者会使我们的街道变得越来越拥挤，社区环境嘈杂，还可能带来安全问题。

解释第二个原因：宁静，花草树木可以净化空气。

尽管一些人认为大型购物中心可以让居民的生活更加方便，我想请大家仔细想一想，现在网上购物这么发达，大家足不出户就可以购买到需要的生活用品，我们的社区真的需要一间大型购物中心吗?

先提出一些人支持建购物中心的看法，再进行反驳。

总的来说，我认为在社区附近建大型购物中心弊大于利，而建公园可以为居民生活带来很多好处。因此，我认为建公园才是更好的选择。

重申自己的观点。

模拟练习

题目二：你居住的小区里有一个大广场，一些居民经常自发地组织在广场上跟随音乐跳舞。写一篇日记，谈谈你的看法。

以下是别人的观点，你可以参考，也可以提出自己的意见，但必须明确表示倾向。

字数：250-300 个汉字。满分为 22 分，其中内容占 10 分，语言占 12 分。

音乐声扰民，影响其他居民的生活。

不仅能锻炼身体，还能增加社交。

答题技巧

1. **审清题意：理解情景，把握关键词，找到议论性的话题、受众和文体格式**

   议论性的话题：居民在广场跳舞

   受众：自己

   文体：日记

2. **内容构建：确定立场，利用题目中的提示信息，拓展观点**

   你的立场：支持

   可利用的提示信息：不仅能锻炼身体，还能增加社交。

   补充其他观点，使内容充足，有理有据。

   你的立场：反对

   可利用的提示信息：音乐声扰民，影响其他居民的生活。

   补充其他观点，使内容充足，有理有据。

   注意你的立场要有明确的倾向性，只可持一方观点。

3. **安排结构：整体构思，理清思路，段落结构清晰合理**

   文章结构完整，层次分明，恰当使用连接词，让段落衔接自然。

4. **语言运用：行文流畅，语言表达准确、丰富**

   词语准确、丰富，适当运用较复杂的语言结构，注意词语搭配。标点符号准确，字迹工整。

思维导图

高分范文

2018年5月27日　星期天　　　　天气：晴

今天晚饭后我去楼下散步，见到一些居民在小区的广场上跟随音乐跳舞。我觉得这是一个非常有益身心的活动，应该得到其他居民的支持。

引出话题，表明自己的观点：应该支持居民跳广场舞。

第一，参加这个活动的居民大部分是中老年人，他们在晚饭后走出户外，在广场上跟随音乐做自己喜欢的运动，这对他们的健康有很多好处。音乐可以舒缓情绪，消除烦恼；舞蹈可以让肢体得到伸展和活动，节奏、强度对他们来说都很适中，可以达到锻炼身体的效果。

解释第一个原因：对健康有好处。

第二，这个活动还可以扩大中老年人的社交圈子。现在，居住在城市里的人几乎不怎么和邻居往来，见面也只是简单地打个招呼。跳广场舞让住在同一个小区的居民有机会聚在一起，跳舞的过程中他们可以增加了解，认识更多的朋友，这让他们的精神生活没那么空虚。

解释第二个原因：扩大社交圈子。

尽管有人觉得跳舞的音乐声扰民，影响了其他居民的生活，但是我认为，大家生活在同一个小区，邻里之间应该互相包容体谅。而且，他们跳舞的时间一般都是在晚饭后七点钟左右，大概跳一个小时就结束了，并没有影响一般人的休息时间。

先提出一些人反对的看法，再进行反驳。

总而言之，跳广场舞不但能锻炼身体，还能增加居民们的社交，如果我的家人想加入他们开始跳广场舞，我也一定会支持的。

总结上文提出的原因，重申自己的观点。

话题 4：环保

模拟练习

题目一：环保小组向学校建议从下学期开始食堂不再使用冷气机，改用风扇。给学校环保小组的主席写一封信，表达你的意见。

以下是别人的观点，你可以参考，也可以提出自己的意见，但必须明确表示倾向。

字数：250–300 字。满分为 22 分，其中内容占 10 分，语言占 12 分。

答题技巧

1. **审清题意：理解情景，把握关键词，找到议论性的话题、受众和文体格式**

   议论性的话题：食堂不再使用冷气机，改用风扇

   受众：环保小组主席

   文体：书信

2. **内容构建：确定立场，利用题目中的提示信息，拓展观点**

你的立场：支持	你的立场：反对
可利用的提示信息：冷气机释放大量温室气体，对环境保护没有好处。	可利用的提示信息：食堂人多、地方拥挤，如果不开冷气很不舒适。
补充其他观点，使内容充足，有理有据。	补充其他观点，使内容充足，有理有据。

   注意你的立场要有明确的倾向性，只可持一方观点。

3. 安排结构：整体构思，理清思路，段落结构清晰合理

文章结构完整，层次分明，恰当使用连接词，让段落衔接自然。

4. 语言运用：行文流畅，语言表达准确、丰富

词语准确、丰富，适当运用较复杂的语言结构，注意词语搭配。标点符号准确，字迹工整。

思维导图

高分范文

环保小组主席：

你好！我是十年级的同学。我了解到学校食堂打算从下学期开始不再使用冷气机，而改用风扇。我对这个提议表示赞成，具体原因如下：

引出话题，表明自己的观点：赞成食堂不再使用冷气机。

第一，使用冷气机对保护环境没有好处。冷气机释放出大量的温室气体，加剧地球气候变暖。这会导致南北极的冰川融化、海平面上升，对人类、动植物都造成威胁。另外，使用冷气机也非常耗电，生产电力时也会产生环境污染问题。如果改用风扇，不但不会对环境造成影响，还可以大大降低耗电量。

解释第一个原因：使用冷气机对环境造成的影响。

第二，使用冷气机还对学生的健康有影响。使用冷气机的话，食堂一定会关窗关门，这样空气就不流通。如果冷气机没有及时清洗，附着在上面的细菌就会直接飘散在空气中，学生在这样的环境下吃饭很容易生病。除此之外，使用冷气机会导致室

解释第二个原因：使用冷气机对学生健康的影响。

内外温差过大。想象一下，刚刚上完体育课的学生满头大汗地走进食堂，冷气机的凉风可以很快带走炎热，但是这样忽冷忽热，怎么能不生病呢？

当然，有些同学反对这个提议，他们觉得夏天不开冷气一定会感到不舒适，特别是在地方拥挤的食堂。但是，风扇的风也可以为我们降温，还能让室内空气保持流通。而且，一年中最炎热的季节通常是七月、八月，那时候我们已经放暑假了。因此，在上学期间食堂使用风扇足够保证我们有舒适的就餐环境。

先提出一些人反对的看法，再进行反驳。

总而言之，食堂使用冷气机对地球环境和学生健康都有坏处，而使用风扇才是更好的选择。希望下学期学校可以推行这个环保计划。

总结上文提出的原因，重申自己的观点。

祝你学习进步！

十年级同学

赵乐然

2018 年 4 月 25 日

模拟练习

题目二：最近，你开始使用校园的电子书图书馆在网上阅读。写一篇博客，谈谈你对阅读电子书的看法。

以下是别人的观点，你可以参考，也可以提出自己的意见，但必须明确表示倾向。

字数：250–300 字。满分为 22 分，其中内容占 10 分，语言占 12 分。

阅读电子书可以减少树木砍伐，保护环境。

长时间阅读电子书对眼睛不好，影响视力。

答题技巧

1. 审清题意：理解情景，把握关键词，找到议论性的话题、受众和文体格式

   议论性的话题：对阅读电子书的看法

   受众：公众

   文体：博客

2. 内容构建：确定立场，利用题目中的提示信息，拓展观点

你的立场：支持	你的立场：反对
可利用的提示信息：阅读电子书可以减少树木砍伐，保护环境。	可利用的提示信息：长时间阅读电子书对眼睛不好，影响视力。
补充其他观点，使内容充足，有理有据。	补充其他观点，使内容充足，有理有据。

   注意你的立场要有明确的倾向性，只可持一方观点。

3. 安排结构：整体构思，理清思路，段落结构清晰合理

   文章结构完整，层次分明，恰当使用连接词，让段落衔接自然。

4. 语言运用：行文流畅，语言表达准确、丰富

   词语准确、丰富，适当运用较复杂的语言结构，注意词语搭配。标点符号准确，字迹工整。

思维导图

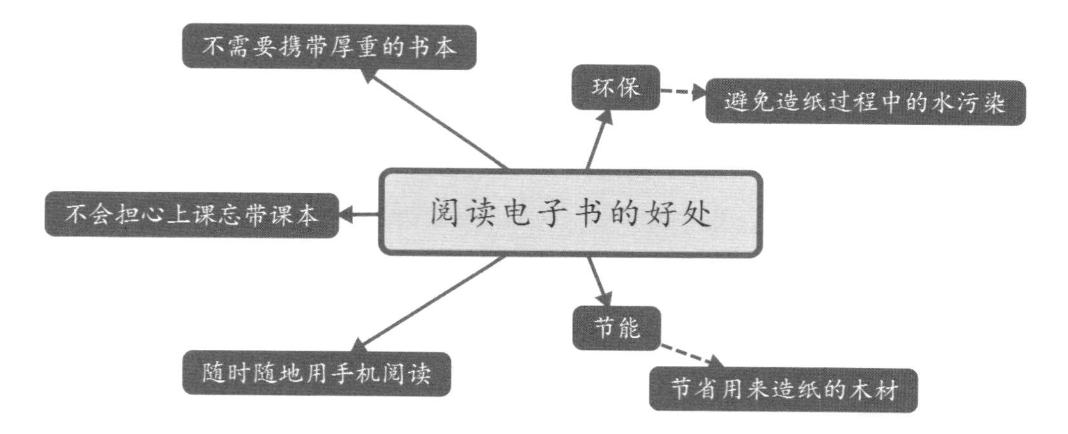

高分范文

http://blog.sina.com.cn/xiaomengblog

小萌的博客

电子书还是纸质书（2018-07-05 18:30:19）

最近，我们学校推出了电子书图书馆，同学们只要利用学生账号登入图书馆的网页就可以借阅电子书，有中英文小说、工具书，还有电子课本。渐渐地，我发现阅读电子书有很多好处。

引出话题，表明自己的观点：阅读电子书有很多好处。

首先，电子书不需要携带，只要身边有电脑或者手机就可以随时随地阅读。乘车的时候、等朋友的时候，我都可以用手机阅读没看完的小说。利用零散的时间，一本三百多页的小说我不到一个星期就看完了，这比阅读纸质书快多了。还有一次上中文课时我忘记带课本了，用电脑马上就找到了课本的电子版本。由此可见，电子书给我们提供了很多便利。

解释第一个原因：电子书不用携带，可以随时随地阅读。

其次，电子书更加环保、节能。纸质书取材于树木，阅读电子书可以减少对纸的消耗，从而保护地球的森林资源。另外，造纸的过程中会造成水污染，而且纸质书的印刷过程也会排放出大量的二氧化碳，因此，阅读电子书还可以减少对环境的破坏。

解释第二个原因：电子书比纸质书更加环保、节能。

当然，长时间阅读电子书可能会引起眼睛不适。我建议大家把手机、电脑的屏幕调整到舒适的亮度，电子书的字体也不要太小，阅读时每三十分钟就休息一下，这样可以避免眼睛过于疲劳，保护视力。

先提出电子书的缺点，再给出一些建议。

总结来说，我认为阅读电子书不仅方便了我们自己的生活，还为保护环境出了一份力。你们对阅读电子书有什么看法呢？欢迎大家在下面留言讨论。

总结上文提出的原因，重申自己的观点。

阅读（12）| 评论（7）| 收藏（5）| 转载（2）| 喜欢▼ | 打印

练习题库

1. 今天上中文课时，你们班的同学讨论了“你喜欢在城市住小公寓还是在郊外住大房子”的话题。写一篇演讲稿，谈一谈你的看法。

   以下是别人的观点，你可以参考，也可以提出自己的意见，但必须明确表示倾向。

   字数：250–300个汉字。满分为22分，其中内容占10分，语言占12分。

   大城市生活比较方便。

   郊外空气好，风景优美。

2. 你的朋友正在考虑离开出生及成长的热带国家，搬去一个有季节变化的地方居住。给你的朋友写封信，说一下的的看法。

   以下是别人的观点，你可以参考，也可以提出自己的意见，但必须明确表示倾向。

   字数：250–300个汉字。满分为22分，其中内容占10分，语言占12分。

   可以体会大自然的变化。

   已经适应自己出生和成长的地方，到一个有季节变化的地方会不习惯。

3. 你在计划一次旅行时考虑应该和朋友一起去还是自己一个人去，最后做出了一个决定。写一篇日记，谈一谈你的看法。

   以下是别人的观点，你可以参考，也可以提出自己的意见，但必须明确表示倾向。

   字数：250–300个汉字。满分为22分，其中内容占10分，语言占12分。

   和朋友一起去旅行能够互相照顾，比较安全。

   和朋友一起去旅行要互相迁就，有时还会吵架。

4. 你告诉朋友你的旅游计划，你的朋友诚意邀请你住在他 / 她的家里。给你的朋友写一封信，说一下你的决定。

以下是别人的观点，你可以参考，也可以提出自己的意见，但必须明确表示倾向。

字数：250–300 个汉字。满分为 22 分，其中内容占 10 分，语言占 12 分。

住酒店比较自由，不会打扰朋友的生活。

住朋友家更方便，还可以和朋友聊天儿。

5. 你住的社区打算增加公共交通，向居民做了一次调查，目的是要改善社区的交通。给社区报刊写一篇文章，谈一谈你的看法。

以下是别人的观点，你可以参考，也可以提出自己的意见，但必须明确表示倾向。

字数：250–300 个汉字。满分为 22 分，其中内容占 10 分，语言占 12 分。

大多数人没有私人汽车，所以需要公共交通。

太多公共交通会令社区街道变得拥挤。

6. 你居住的城市一年四季气候没有明显的变化。写一篇日记，谈一谈你对这种气候的看法。

以下是别人的观点，你可以参考，也可以提出自己的意见，但必须明确表示倾向。

字数：250–300 个汉字。满分为 22 分，其中内容占 10 分，语言占 12 分。

有季节变化的地方可以让人体会大自然的变化。

生活在有季节变化的地方要买很多衣服，很麻烦。

7. 你的学校在讨论“政府是否应该把钱投在保护环境上”的话题。写一篇演讲稿，谈一谈你的看法。

以下是别人的观点，你可以参考，也可以提出自己的意见，但必须明确表示倾向。

字数：250–300 个汉字。满分为 22 分，其中内容占 10 分，语言占 12 分。

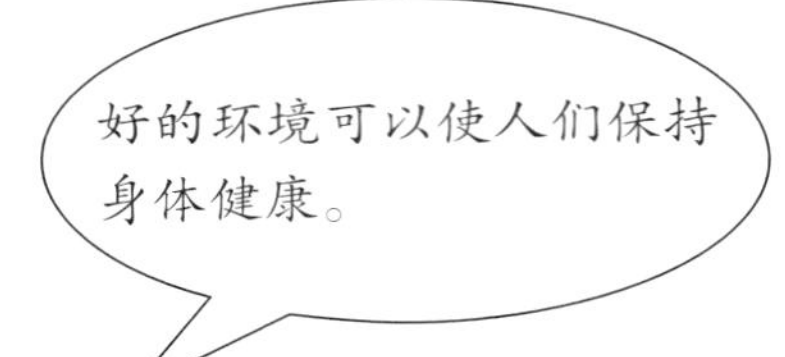

应该把钱投在教育上，教育人们有环保意识更重要。

8. 你的学校每年春天都会组织学生去校外种树。给校报写一篇文章，谈一谈你的看法。

以下是别人的观点，你可以参考，也可以提出自己的意见，但必须明确表示倾向。

字数：250–300 个汉字。满分为 22 分，其中内容占 10 分，语言占 12 分。

学校应该组织同学们去旅游，增长见闻。

9. 你们在课堂上讨论“是否应该保留动物园”的话题。写一篇演讲稿，谈一谈你的看法。

以下是别人的观点，你可以参考，也可以提出自己的意见，但必须明确表示倾向。

字数：250–300 个汉字。满分为 22 分，其中内容占 10 分，语言占 12 分。

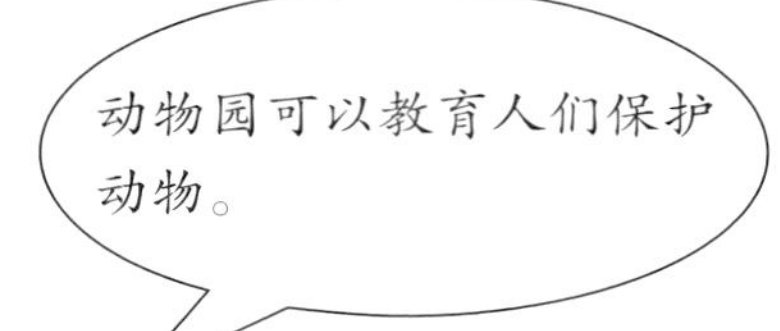

动物园限制了动物的自由，违背了动物的生活习性。

10. 你的学校明年将不再要求学生购买传统的纸质课本，而是向学生提供电子学习材料。写一篇博客，谈一谈你的看法。

以下是别人的观点，你可以参考，也可以提出自己的意见，但必须明确表示倾向。

字数：250–300 字。满分为 22 分，其中内容占 10 分，语言占 12 分。

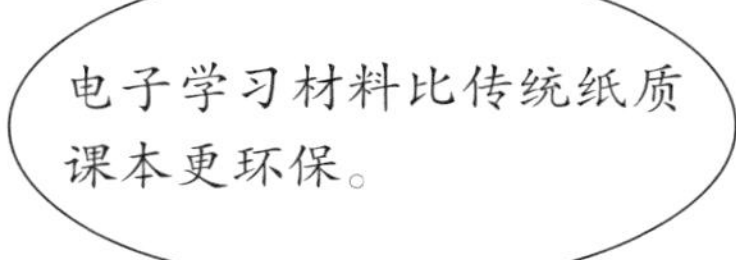

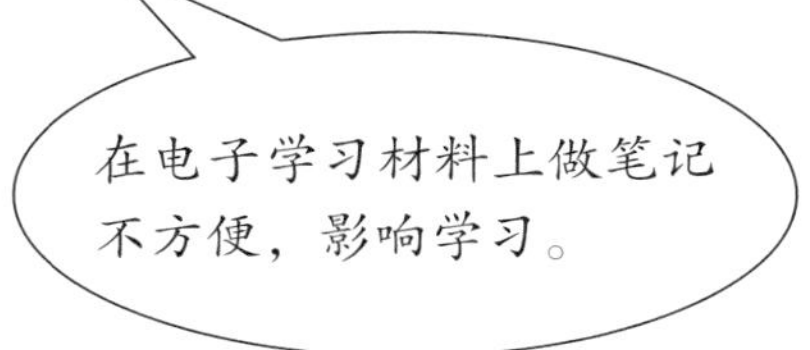

11. 有人说，环境问题个人是无法解决的，只有企业和国家才能解决。你是否同意这个说法？请写一篇演讲稿，谈一谈你的看法。

以下是别人的观点，你可以参考，也可以提出自己的意见，但必须明确表示倾向。

字数：250–300 个汉字。满分为 22 分，其中内容占 10 分，语言占 12 分。

个人可以培养环保意识，珍惜自然资源，过简单的生活。

只有国家采取环保政策，对于破坏环境的企业和个人加大处罚力度，才能解决环境问题。

12. 有人认为，飞机旅行应该被限制，因为飞机旅行污染空气，也消耗了世界上的油料资源。写一篇博客文章，谈一谈你的看法。

以下是别人的观点，你可以参考，也可以提出自己的意见，但必须明确表示倾向。

字数：250–300 个汉字。满分为 22 分，其中内容占 10 分，语言占 12 分。

飞机旅行给人们提供舒适、方便、快捷的服务，不应该被限制。

飞机产生大量的二氧化碳，破坏臭氧层，所以飞机旅行应该被限制。

13. 你昨天看到一篇报刊文章，说你住的地方废料的循环利用不尽如人意。你对这篇文章有不同的看法。请给本市的环保局局长写一封信，谈一谈你的看法。

以下是别人的观点，你可以参考，也可以提出自己的意见，但必须明确表示倾向。

字数：250–300 个汉字。满分为 22 分，其中内容占 10 分，语言占 12 分。

有些人缺乏环境保护意识，政府对于乱扔生活垃圾的现象也没有明确的规范。

政府积极兴建废料处理基地，努力改善废料处理技术。

14. 为了解决空气污染的问题，在每年的“无车日”，私家汽车、大卡车和摩托车都被禁止进入市中心。你对这个做法有不同的看法。请给当地的报纸写一篇文章，谈一谈你的看法。

以下是别人的观点，你可以参考，也可以提出自己的意见，但必须明确表示倾向。

字数：250–300 个汉字。满分为 22 分，其中内容占 10 分，语言占 12 分。

汽车尾气不是造成空气污染的主要因素。

“无车日”那天的空气质量明显比平时好得多。

15. 一份调查报告指出，现在的人不再像以前一样，一辈子只生活在一个地方。现在的人总是会不断地更换居住地。请写一篇演讲稿，谈一谈你的看法。

以下是别人的观点，你可以参考，也可以提出自己的意见，但必须明确表示倾向。

字数：250–300 个汉字。满分为 22 分，其中内容占 10 分，语言占 12 分。

总是换地方居住让人产生没有“根”的感觉。

换地方居住可以改善自己的生活水平，让生活更加多姿多彩。

16. 有人说大城市的生活环境对人的身体健康有害无益。你对这个说法有不同的看法。请写一篇博客文章，谈一谈你的看法。

以下是别人的观点，你可以参考，也可以提出自己的意见，但必须明确表示倾向。

字数：250–300 个汉字。满分为 22 分，其中内容占 10 分，语言占 12 分。

大城市健身设施齐全，设备先进，人们随时可以去健身。

大城市空气污染严重，对身体健康有负面影响。

17. 你最近去了外国旅行，在一个旅游景点，你发现外国游客被征收比当地游客更高的费用。你对此有不同的看法。给当地旅游局写一封信，谈一谈你的看法。

以下是别人的观点，你可以参考，也可以提出自己的意见，但必须明确表示倾向。

字数：250–300 个汉字。满分为 22 分，其中内容占 10 分，语言占 12 分。

旅游业是当地的经济支柱，收入主要依赖前来旅游的游客，所以征收更高的费用也算合理。

向外国游客征收更高的费用很不公平，会影响当地旅游业的发展。

18. 你姐姐挑衣服的时候越来越讲究时尚，而且衣服过季了就要扔掉换新的。

你对这种做法有不同的看法。给姐姐写一封信，谈一谈你的看法。

以下是别人的观点，你可以参考，也可以提出自己的意见，但必须明确表示倾向。

字数：250–300 个汉字。满分为 22 分，其中内容占 10 分，语言占 12 分。

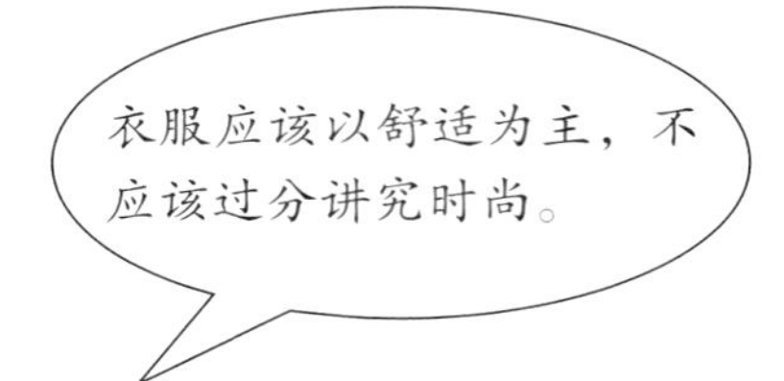

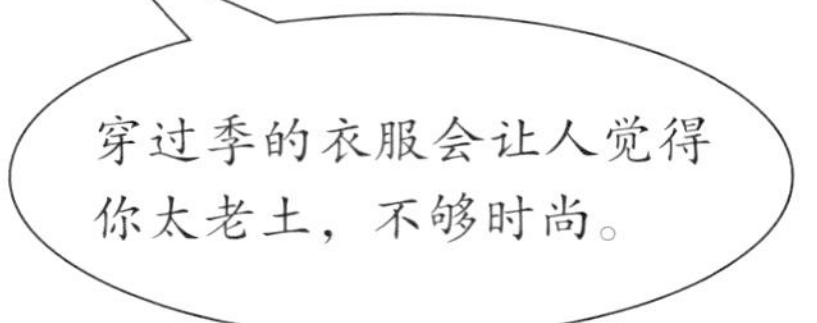

主题高频词

词语	拼音	英文	词语	拼音	英文
休闲生活	xiū xián shēng huó	leisure life	街道	jiē dào	street
休息	xiū xi	to rest	便利	biàn lì	convenient
享受	xiǎng shòu	to enjoy	四通八达	sì tōng bā dá	be accessible from all directions
远离	yuǎn lí	be far away from	车水马龙	chē shuǐ mǎ lóng	be crowded with people and vehicles
烦恼	fán nǎo	worry	公共设施	gōng gòng shè shī	public facility
音乐	yīn yuè	music	公园	gōng yuán	park
假日	jià rì	holiday	体育馆	tǐ yù guǎn	stadium
旅行	lǚ xíng	trip; to travel	商场	shāng chǎng	shopping mall
跟团游	gēn tuán yóu	package tour	小区	xiǎo qū	community
自由行	zì yóu xíng	self-guided tour	郊区	jiāo qū	suburb

词语	拼音	英文	词语	拼音	英文
导游	dǎo yóu	tour guide	户外	hù wài	outdoor
目的地	mù dì dì	destination	环境	huán jìng	environment
行程	xíng chéng	tour itinerary	风景优美	fēng jǐng yōu měi	beautiful landscapes
旅途	lǚ tú	trip	宁静	níng jìng	tranquil
游览	yóu lǎn	to sightsee	空气清新	kōng qì qīng xīn	fresh air
购物	gòu wù	shopping	呼吸	hū xī	to breathe
游客	yóu kè	tourist	大自然	dà zì rán	nature
当地人	dāng dì rén	local people	地球	dì qiú	the Earth
居民	jū mín	resident	资源	zī yuán	resource
开阔视野	kāi kuò shì yě	to broaden one's horizon	保护环境	bǎo hù huán jìng	to protect the environment
身心健康	shēn xīn jiàn kāng	physical and mental health	冷气机	lěng qì jī	air-conditioner
安全	ān quán	safe	电脑	diàn nǎo	computer
大城市	dà chéng shì	big city	电子书	diàn zǐ shū	e-book
繁华	fán huá	prosperous	纸质书	zhǐ zhì shū	book
拥挤	yōng jǐ	crowded	污染	wū rǎn	pollution; to pollute

主题四 文化多样性

优秀范例

话题 1：节日与庆祝活动

模拟练习

题目一：你的姐姐今年春节想利用假期和朋友去旅行。给姐姐写一封信，谈一谈你的看法。

以下是别人的观点，你可以参考，也可以提出自己的意见，但必须明确表示倾向。

字数：250-300 个汉字。满分为 22 分，其中内容占 10 分，语言占 12 分。

难得有假期，应该去旅行放松一下。

春节意味着“团圆”，应该和家人在一起。

答题技巧

1. **审清题意：理解情景，把握关键词，找到议论性的话题、受众和文体格式**

   议论性的话题：姐姐春节应该和朋友去旅行还是回家过年

   受众：姐姐

   文体：书信

2. **内容构建：确定立场，利用题目中的提示信息，拓展观点**

   你的立场：姐姐春节应该和朋友去旅行

   可利用的提示信息：难得有假期，应该去旅行放松一下。

   补充其他观点，使内容充足，有理有据。

   你的立场：姐姐春节应该回家过年

   可利用的提示信息：春节意味着“团圆”，应该和家人在一起。

   补充其他观点，使内容充足，有理有据。

   注意你的立场要有明确的倾向性，只可持一方观点。

3. 安排结构：整体构思，理清思路，段落结构清晰合理

文章结构完整，层次分明，恰当使用连接词，让段落衔接自然。

4. 语言运用：行文流畅，语言表达准确、丰富

词语准确、丰富，适当运用较复杂的语言结构，注意词语搭配。标点符号准确，字迹工整。

思维导图

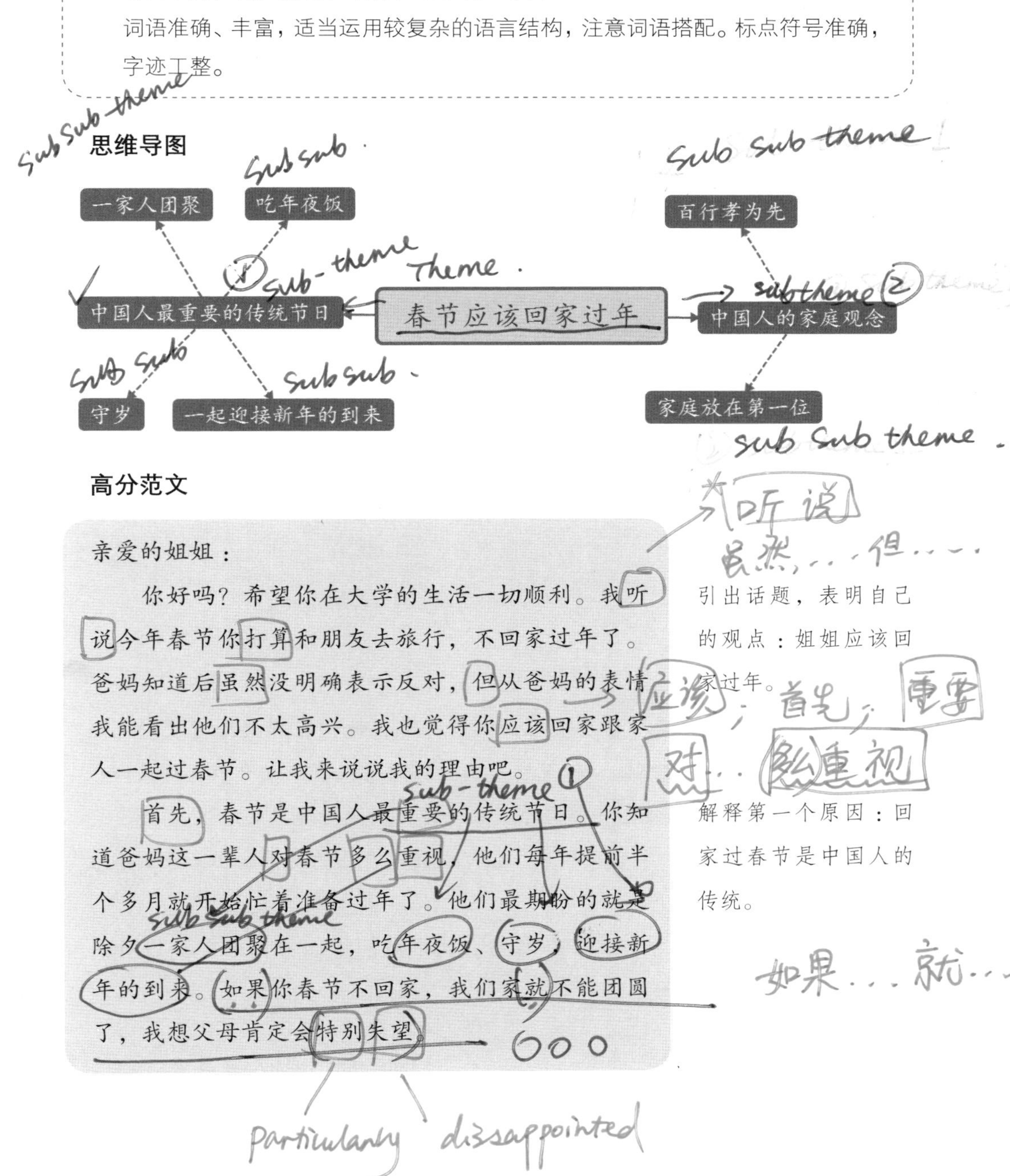

高分范文

亲爱的姐姐：

你好吗？希望你在大学的生活一切顺利。我听说今年春节你打算和朋友去旅行，不回家过年了。爸妈知道后虽然没明确表示反对，但从爸妈的表情我能看出他们不太高兴。我也觉得你应该回家跟家人一起过春节。让我来说说我的理由吧。

引出话题，表明自己的观点：姐姐应该回家过年。

首先，春节是中国人最重要的传统节日。你知道爸妈这一辈人对春节多么重视，他们每年提前半个多月就开始忙着准备过年了。他们最期盼的就是除夕一家人团聚在一起，吃年夜饭、守岁、迎接新年的到来。如果你春节不回家，我们家就不能团圆了，我想父母肯定会特别失望。

解释第一个原因：回家过春节是中国人的传统。

其次，"百行孝为先"，中国人总是把家庭放在第一位。自从你上大学以来，全家人在一起的时间变得越来越少，我们都很想念你。爸妈的年纪越来越大，到了我们孝顺他们的时候了，我们应该多回家探望他们，陪他们聊聊天儿、散散步，这是我们做儿女应尽的义务。

解释第二个原因：回家过春节是做儿女的义务。

虽然我知道你平时的学习很忙碌，希望在假期跟朋友们一起去旅行度假，但是一年之中还有很多其他的假期，比如暑假、复活节、圣诞节等等。春节假期就留给家人吧。

先提出姐姐希望去旅行的原因，再给出自己的建议。

姐姐，你回来跟我们一起过春节吧！我们一家人团圆在一起，热热闹闹地过年多好啊！

重申自己的观点。

期待你的回信！

祝你生活愉快！

你的弟弟

浩然

11 月 16 日

模拟练习

题目二：现在的年轻人喜欢庆祝西方情人节，他们在那天给喜欢的人送花，也会去高级餐厅吃饭，但是在中国传统的情人节（七夕节）那天却很少有庆祝活动。给报纸写一篇文章，谈一谈你对这种现象的看法。

以下是别人的观点，你可以参考，也可以提出自己的意见，但必须明确表示倾向。

字数：250-300 个汉字。满分为 22 分，其中内容占 10 分，语言占 12 分。

庆祝西方情人节更加浪漫。

过中国传统的情人节会更加有意义。

答题技巧

1. **审清题意：理解情景，把握关键词，找到议论性的话题、受众和文体格式**

   议论性的话题：年轻人庆祝西方情人节而忽视七夕节

   受众：公众

   文体：报刊文章

2. **内容构建：确定立场，利用题目中的提示信息，拓展观点**

你的立场：支持	你的立场：反对
可利用的提示信息：庆祝西方情人节更加浪漫。	可利用的提示信息：过中国传统的情人节会更加有意义。
补充其他观点，使内容充足，有理有据。	补充其他观点，使内容充足，有理有据。

   注意你的立场要有明确的倾向性，只可持一方观点。

3. **安排结构：整体构思，理清思路，段落结构清晰合理**

   文章结构完整，层次分明，恰当使用连接词，让段落衔接自然。

4. **语言运用：行文流畅，语言表达准确、丰富**

   词语准确、丰富，适当运用较复杂的语言结构，注意词语搭配。标点符号准确，字迹工整。

思维导图

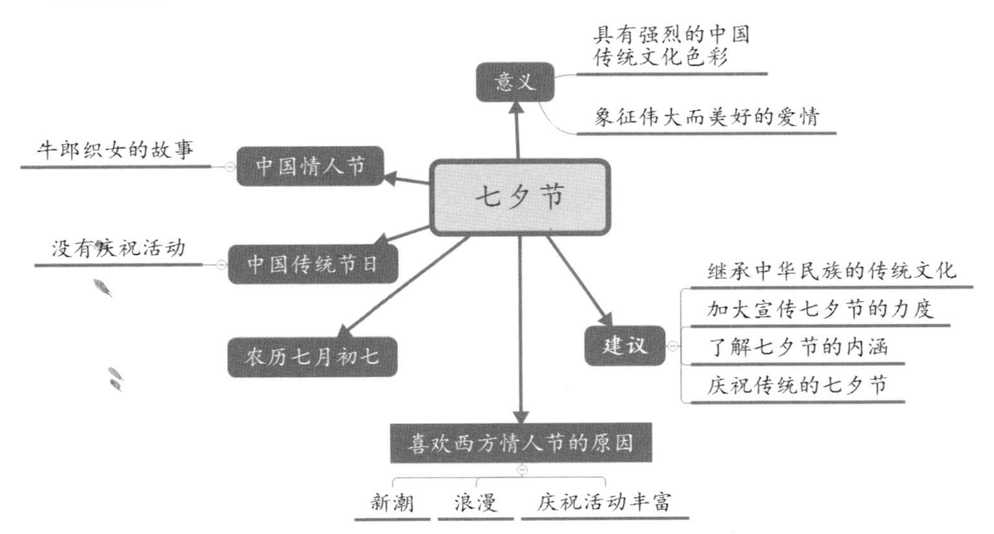

高分范文

别忘了中国的情人节——七夕节

作者：王文佳

今天是农历七月初七，是中国的传统节日——七夕节，也是中国情人节，但街上却没有几个月前西方情人节时的浪漫气氛，商店里没有任何庆祝活动，也看不到有人给自己喜欢的人送花。大家好像都忘记了中国的传统情人节了，这让我觉得很无奈。我认为我们不应该忽略中国的传统节日。

引出话题，表明自己的观点：不应该忽略中国的传统节日。

对于中国人来说，七夕节是非常有意义的。它源自一个很美丽的传说——牛郎和织女的故事，两个地位悬殊的人相爱，经历了分离和磨难，最终用真挚的感情感动上天，换来一年一度在七夕这一天的相聚。因此，七夕节象征了伟大而美好的爱情，在这一天跟自己喜欢的人一起庆祝，既浪漫又有意义。

解释第一个原因：七夕节是非常有意义的。

另外，中国的传统节日是中华民族悠久历史的一部分。中国人自古有庆祝七夕节的习俗。它代表了美好的爱情，也具有强烈的中国传统文化色彩，因此应该一代接一代地一直传承下去，而不应该逐渐没落。

解释第二个原因：七夕节是中国传统文化的一部分。

很多年轻人认为，西方的情人节比较新潮、浪漫，庆祝活动丰富，更加适合他们。这是因为在中国，不少年轻人根本就不了解七夕节的意义。我认为，社会各界都应该加大七夕节的宣传力度，在突出传统文化的同时，让更多人感受到中国情人节的魅力和内涵。

先解释现在西方情人节更受欢迎的原因，再给出宣传七夕节的建议。

在全球化的今天，中国传统节日受到了文化融合的影响。可是我们不应该只追求西方节日，而冷落拥有丰富历史文化含义的中国传统节日。作为中国的年轻人，我们有责任传承中国的传统文化，庆祝中国的传统节日。下一年，别忘了过我们中国人自己的情人节——七夕节。

重申自己的观点。

话题 2：传统文化习俗

模拟练习

题目一：在你居住的城市有很多具有历史性的老建筑。有市民向当地政府提议要拆除这些老建筑，改建成现代化的购物中心。给当地的报纸写一篇文章，谈一谈你的看法。

以下是别人的观点，你可以参考，也可以提出自己的意见，但必须明确表示倾向。

字数：250–300 个汉字。满分为 22 分，其中内容占 10 分，语言占 12 分。

老建筑反映了一个地方的文化和历史。

老建筑太破旧，影响市容，建购物中心可以方便市民生活。

答题技巧

1. 审清题意：理解情景，把握关键词，找到议论性的话题、受众和文体格式

   议论性的话题：拆除这些老建筑，改建现代化的购物中心

   受众：公众

   文体：报刊文章

2. 内容构建：确定立场，利用题目中的提示信息，拓展观点

你的立场：支持	你的立场：反对
可利用的提示信息：老建筑太破旧，影响市容，建购物中心可以方便市民生活。	可利用的提示信息：老建筑反映了一个地方的文化和历史。
补充其他观点，使内容充足，有理有据。	补充其他观点，使内容充足，有理有据。

注意你的立场要有明确的倾向性，只可持一方观点。

3. **安排结构：整体构思，理清思路，段落结构清晰合理**

   文章结构完整，层次分明，恰当使用连接词，让段落衔接自然。

4. **语言运用：行文流畅，语言表达准确、丰富**

   词语准确、丰富，适当运用较复杂的语言结构，注意词语搭配。标点符号准确，字迹工整。

思维导图

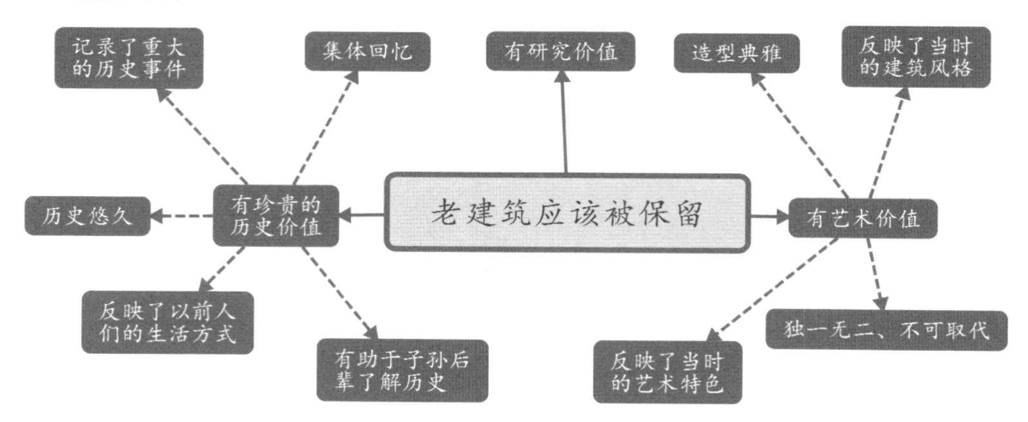

高分范文

老建筑应该被保留

作者：李静

最近，有市民向政府提议要拆除我市的老建筑，改建成现代化的购物中心。我对此极力反对，原因有以下几点：

引出话题，表明自己的观点：反对拆除老建筑。

首先，我市的老建筑历史悠久，见证了这座城市的沧桑变化，具有非常珍贵的历史价值。不少老建筑记录了一些重大的历史事件，有些也反映了当时人们的生活方式，属于大家的集体回忆。保留老建筑可以让子孙后辈更好地了解历史、回味历史。虽然博物馆的文字、图片也可以记录历史，但那种感受远不及置身于历史建筑中来的真切。

解释第一个原因：老建筑具有历史价值。

除了历史价值，老建筑还具有极高的艺术价值。很多老建筑造型典雅，反映了当时的建筑风格和艺术特色。对建筑学家来说，每一座老建筑都是独一无二、不可取代的，它们具有很高的研究价值。不少游客也是因为这些老建筑才选择来我市游览参观。如果拆除老建筑，改建成造型上千篇一律的现代化购物中心，那我们这座城市会失去它原本的特色。

解释第二个原因：老建筑具有艺术价值。

虽然一些老建筑的外观破旧，有些人甚至觉得它们影响市容，但这只是反映了政府没有足够重视老建筑，不应该成为拆除它们的原因。我们应该对老建筑进行修缮、翻新，也可以活化历史建筑，给它们带来新的生命力，让市民在欣赏历史建筑的同时，拥有更加多元化的生活。

先提出老建筑的缺点，再进行反驳。

综上所述，我认为老建筑不应该被现代化购物中心所取代，而是应该被更好地保护起来，因为它们是我们这座城市珍贵的历史和文化遗产。

总结上文提出的原因，重申自己的观点。

模拟练习

题目二：近年来，传统节日的庆祝方式正在悄然变化。拿春节来说，现在很多家庭不再忙碌地准备年夜饭，而是一家人一起去餐厅吃饭；年初一也不再探亲访友，而是用电话、短信拜年，还可以给小孩子发电子红包。在网络上发表一篇博客，谈一谈你对“新年俗”的看法。

以下是别人的观点，你可以参考，也可以提出自己的意见，但必须明确表示倾向。

字数：250—300 个汉字。满分为 22 分，其中内容占 10 分，语言占 12 分。

“新年俗”让年味变淡了，过年的气氛不如以前好。

“新年俗”适应现代人的生活方式。

答题技巧

1. **审清题意：理解情景，把握关键词，找到议论性的话题、受众和文体格式**

   议论性的话题：对“新年俗”的看法

   受众：公众

   文体：博客

2. **内容构建：确定立场，利用题目中的提示信息，拓展观点**

你的立场：反对	你的立场：支持
可利用的提示信息：“新年俗”让年味变淡了，过年的气氛不如以前好。	可利用的提示信息：“新年俗”适应现代人的生活方式。
补充其他观点，使内容充足，有理有据。	补充其他观点，使内容充足，有理有据。

   注意你的立场要有明确的倾向性，只可持一方观点。

3. **安排结构：整体构思，理清思路，段落结构清晰合理**

   文章结构完整，层次分明，恰当使用连接词，让段落衔接自然。

4. **语言运用：行文流畅，语言表达准确、丰富**

   词语准确、丰富，适当运用较复杂的语言结构，注意词语搭配。标点符号准确，字迹工整。

思维导图

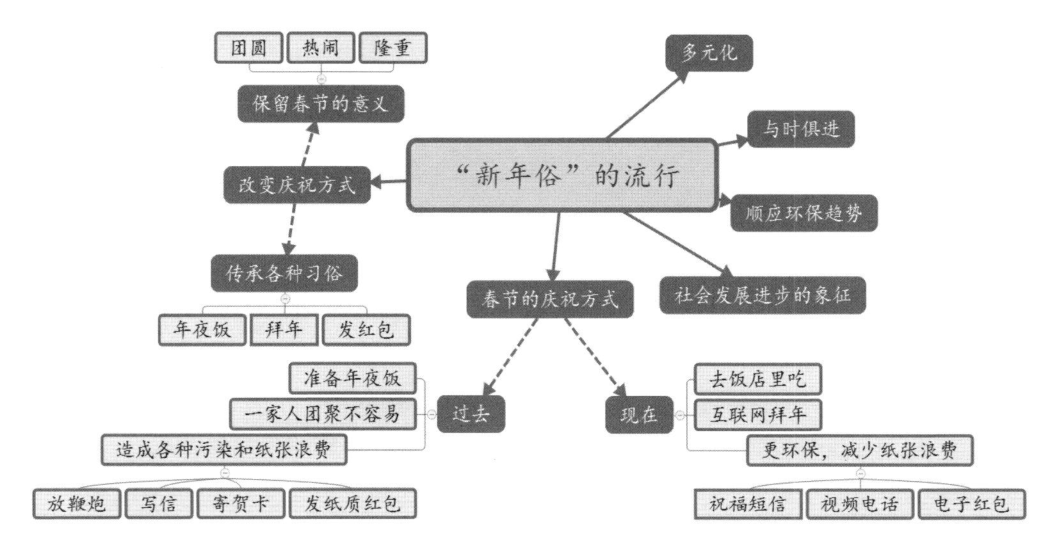

高分范文

http://blog.sina.com.cn/liwenhuablog

李文华的博客

“新年俗”的流行（2018-08-05 11：18：20）

随着社会的不断发展，很多传统节日的风俗和庆祝方式都发生了不少变化。我个人认为与时并进的“新年俗”更能适应现代人的生活方式，是一种良性的转变。

引出话题，表明自己的观点：“新年俗”是良性的转变。

首先，“新年俗”让春节的庆祝方式变得更多元化了。以往，准备一桌丰盛的年夜饭常常让一家人忙得晕头转向，现在大家可以选择去饭店里吃，省时又省力。相隔千里的亲朋好友、腿脚不方便的老人以前无法在春节时相聚，总是满怀遗憾，现在通过互联网拜年越来越常见。发一条祝福短信、打一个视频电话恭贺新春，同样可以表达彼此祝福的心意，还节省了在路上奔波的时间。

解释第一个原因：“新年俗”让庆祝方式更加多元化。

其次，“新年俗”也让春节变得更环保了。近年来，人们的环保意识强了，在春节放鞭炮的人少了，这大大减少了春节期间的噪音污染和空气污染。另外，这几年流行的“电子红包”也大量减少了纸质红包的浪费。

解释第二个原因：“新年俗”更环保。

虽然有些人认为这些“新年俗”取代了传统的习俗，让年味变淡，过年的气氛不如从前了，但我却不这么认为。“新年俗”只是改变了庆祝春节的方式，却依旧保留了春节的意义：团圆、热闹、隆重，而且传承了各种习俗：年夜饭、拜年、发红包等。因此传统的价值不变，人情味不变，年味又怎么会变淡呢？

先提出有人认为“新年俗”让年味变淡，再进行反驳。

“新年俗”一方面为传统节日提供了更多的庆祝形式，另一方面也顺应了环保趋势的要求，我认为这是社会发展进步的象征，是一件好事。

总结上文提出的原因，重申自己的观点。

你对这个话题有什么看法呢？欢迎在下面留言。

阅读（21）| 评论（5）| 收藏（3）| 转载（4）| 喜欢▼ | 打印

练习题库

1. 你在父母安排旅游行程时建议把博物馆加进去。给父母写一封信，谈一谈你对参观博物馆的看法。

   以下是别人的观点，你可以参考，也可以提出自己的意见，但必须明确表示倾向。

   字数：250–300 个汉字。满分为 22 分，其中内容占 10 分，语言占 12 分。

旅游时间比较有限，参观博物馆可以最大程度了解一个地方。

旅游时间比较有限，应该最大程度地到处走走，亲身体验当地真实的生活。

2. 你的学校每年都举办“中国文化周”。在校报上写一篇文章，说说你的看法。以下是别人的观点，你可以参考，也可以提出自己的意见，但必须明确表示倾向。

字数：250–300 个汉字。满分为 22 分，其中内容占 10 分，语言占 12 分。

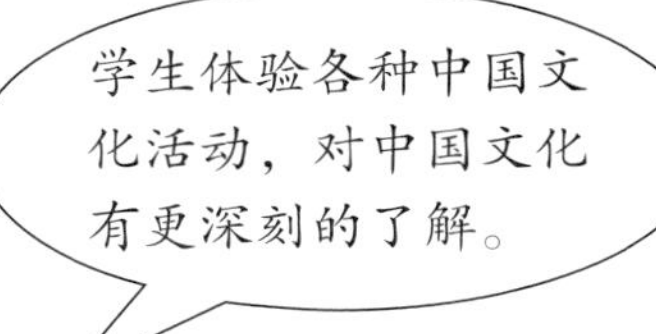

举办“中国文化周”，其他国家的学生会感到被忽视。

3. 学校为了加强学生对中国语言文化的认识，计划让学生每年用一个星期的时间去中国参加各种语言文化交流活动。给校长写一封信，谈谈你的看法。以下是别人的观点，你可以参考，也可以提出自己的意见，但必须明确表示倾向。

字数：250–300 个汉字。满分为 22 分，其中内容占 10 分，语言占 12 分。

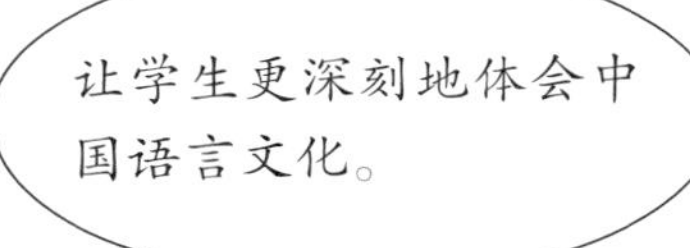

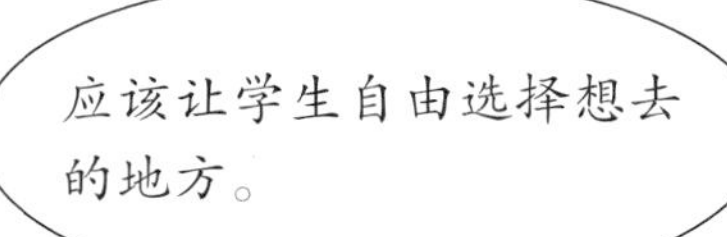

4. 妈妈说，了解其他国家历史和风俗最好的办法就是从报纸和杂志上多找些文章来看。你对这个说法有不同的看法。给妈妈写一封信，谈一谈你的看法。以下是别人的观点，你可以参考，也可以提出自己的意见，但必须明确表示倾向。

字数：250–300 个汉字。满分为 22 分，其中内容占 10 分，语言占 12 分。

俗话说“读万卷书不如行万里路”。

时间和精力是有限的，不可能靠自己的双腿走遍全世界。

5. 你今天在报纸上看到这样一句话：“多元文化的社会汇集了多民族的人群，这有助于文化的融合，带动社会创新。”给报纸的总编辑写一封信，谈一谈你对这句话的看法。

以下是别人的观点，你可以参考，也可以提出自己的意见，但必须明确表示倾向。

字数：250-300 个汉字。满分为 22 分，其中内容占 10 分，语言占 12 分。

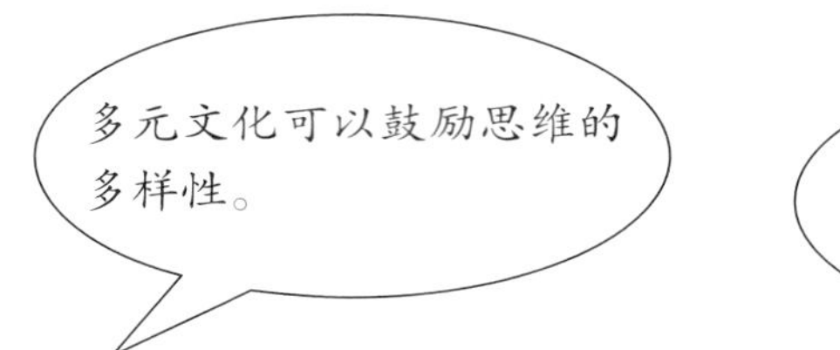

多元文化可能导致民族间的文化冲突。

6. 每年都有一些语言从此消失。有些人认为这是一件好事，因为这可以令人们的沟通变得更方便、更容易。你对此有不同的观点。请写一篇博客，谈一谈你的看法。

以下是别人的观点，你可以参考，也可以提出自己的意见，但必须明确表示倾向。

字数：250-300 个汉字。满分为 22 分，其中内容占 10 分，语言占 12 分。

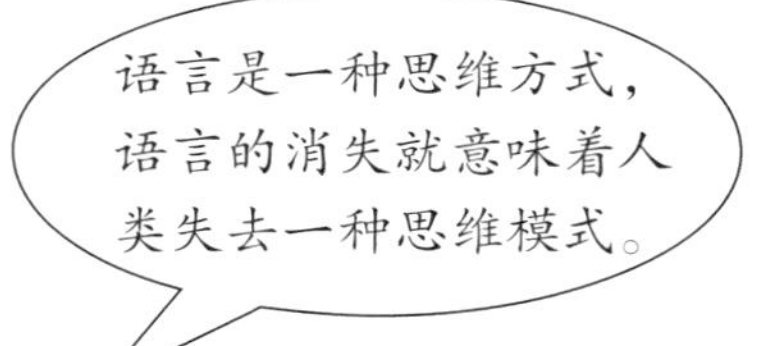

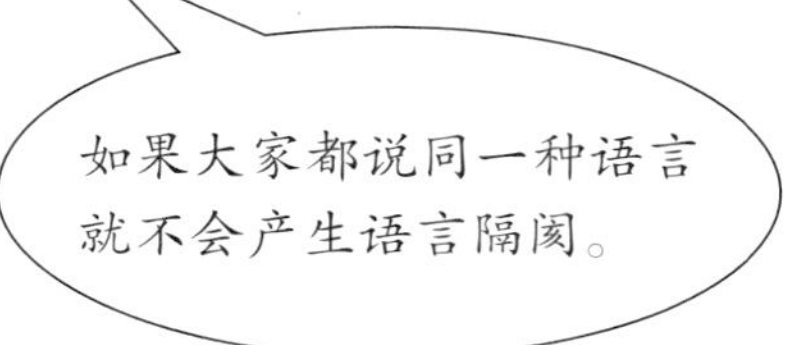

7. “国际旅游”已经成为一个世界性的庞大产业，然而有些人认为，国际旅游业的发展弊大于利，因为它破坏当地的文化传统，也带来了不同文化之间的冲突。请写一篇演讲稿，谈一谈你的看法。

以下是别人的观点，你可以参考，也可以提出自己的意见，但必须明确表示倾向。

字数：250-300 个汉字。满分为 22 分，其中内容占 10 分，语言占 12 分。

国际旅游有助于增进对旅游国文化的了解。

国际旅游业的发展对自然景观破坏太大。

8. 有人认为，游客应该遵守当地的风俗习惯，而不是让当地人接受文化差异。请给报纸写一篇文章，谈一谈你的看法。

以下是别人的观点，你可以参考，也可以提出自己的意见，但必须明确表示倾向。

字数：250–300 个汉字。满分为 22 分，其中内容占 10 分，语言占 12 分。

游客是客人，当然要遵守当地主人家的风俗习惯。

既然是发展国际旅游业，当地人就应该更加开放，接受不同的文化差异。

9. 有人说，国家之间的差距越来越小，因为人们共享同样的电影、音乐、品牌、电视节目。写一篇演讲稿，谈一谈你的看法。

以下是别人的观点，你可以参考，也可以提出自己的意见，但必须明确表示倾向。

字数：250–300 个汉字。满分为 22 分，其中内容占 10 分，语言占 12 分。

人们的观点的确容易受电影、音乐等的影响。

传统的文化和思想观念根深蒂固，很难靠电影和电视内容就发生改变。

10. 有人认为，一个地方的传统文化表演和历史古迹都是以赚取游客金钱为目的，这破坏了传统文化的美好。你对这个说法有不同的看法。请写一篇演讲稿，谈一谈你的看法。

以下是别人的观点，你可以参考，也可以提出自己的意见，但必须明确表示倾向。

字数：250—300 个汉字。满分为 22 分，其中内容占 10 分，语言占 12 分。

当地的传统文化很能吸引各地游客前来，自然就促进了旅游业的发展。

文化传统被商业化利用就意味着传统文化遭到了破坏。

11. 你的学校让学生在“国际日”那天带一件能够代表自己国家传统文化的东西参加展览。你通过电邮和几个朋友讨论这个问题。请写出你给朋友写的电邮，说明你的看法。

以下是别人的观点，你可以参考，也可以提出自己的意见，但必须明确表示倾向。

字数：250—300 个汉字。满分为 22 分，其中内容占 10 分，语言占 12 分。

传统服装最能展示自己国家的传统文化。

印有名胜古迹的明信片最能展示自己国家的传统文化。

12. 有人认为，移民到国外的人应该顺从那里的风俗习惯和规则。请写一篇演讲稿，谈一谈你的看法。

以下是别人的观点，你可以参考，也可以提出自己的意见，但必须明确表示倾向。

字数：250—300 个汉字。满分为 22 分，其中内容占 10 分，语言占 12 分。

无论在哪里生活，保留自己民族的传统文化和习俗都是非常重要的。

俗话说，“入乡随俗”，意思是到了别人的“地盘”，就要跟随别人的传统习俗。

主题高频词

词语	拼音	英文	词语	拼音	英文
假期	jià qī	holiday	家家户户	jiā jiā hù hù	every household
文化周	wén huà zhōu	Culture Week	团圆	tuán yuán	reunion
节日	jié rì	festival	回忆	huí yì	memory
圣诞节	shèng dàn jié	Christmas	珍贵	zhēn guì	valuable
复活节	fù huó jié	Easter	庆祝	qìng zhù	to celebrate
中秋节	zhōng qiū jié	Mid-Autumn Festival	孝顺	xiào shùn	filial piety
春节	chūn jié	Spring Festival	儿女	ér nǚ	sons and daughters
除夕	chú xī	Chinese New Year Eve	义务	yì wù	obligation
年夜饭	nián yè fàn	Chinese New Year dinner	期盼	qī pàn	to expect
守岁	shǒu suì	to stay up late on Chinese New Year Eve	聚会	jù huì	gathering
重要	zhòng yào	important	感受	gǎn shòu	to feel
特色	tè sè	characteristic	深刻	shēn kè	profound
习俗	xí sú	custom	现代人	xiàn dài rén	modern people
保留	bǎo liú	to preserve	旅行	lǚ xíng	trip; to travel
传统	chuán tǒng	tradition	放松	fàng sōng	to relax
价值	jià zhí	value	历史	lì shǐ	history
文化	wén huà	culture	悠久	yōu jiǔ	long standing
注重	zhù zhòng	to pay emphasis on	博物馆	bó wù guǎn	museum
家庭	jiā tíng	family	游览	yóu lǎn	to sightsee

词语	拼音	英文
传统观念	chuán tǒng guān niàn	traditional concept
忙碌	máng lù	busy
家人	jiā rén	family members
热闹	rè nao	lively
探望	tàn wàng	to visit (somebody)
想念	xiǎng niàn	to miss
参观	cān guān	to visit (a place)
体验	tǐ yàn	to experience
了解	liǎo jiě	to understand
多元化	duō yuán huà	diverse
独一无二	dú yī wú èr	unique

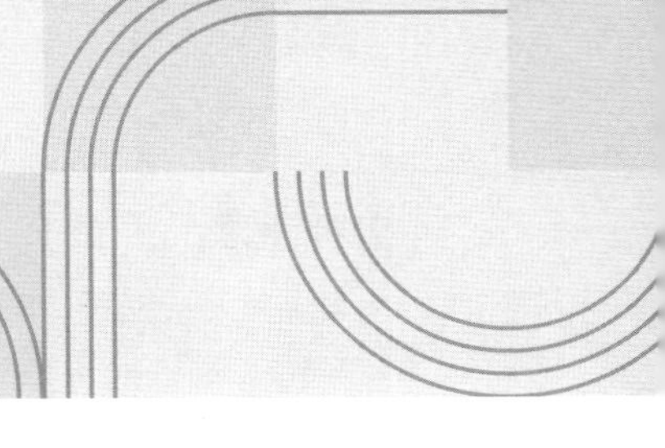

第四节 典型错误分析

提示性作文典型错误分析

词语过于简单或经常重复

你正在北京参加汉语夏令营。给你的父母写一封信，告诉他们你的经历。

字数：100–120个汉字。满分为8分，其中内容占3分，语言占5分。

在信中，你必须说明：

- 夏令营有什么活动
- 你在汉语方面有什么进步
- 你觉得活动怎么样

亲爱的爸爸、妈妈：

你们好！我来北京参加汉语夏令营，让我来说说吧。

夏令营的活动很好，我们在一起唱歌、跳舞，还一起玩儿，我每天都很开心。我的汉语有进步。以前我的中文词语很少，常常说英文，不敢和北京人聊天儿。在夏令营我学会了新的词语，和北京人说话说得很好。我觉得夏令营很好，我很喜欢夏令营和北京。

希望你们回信。

祝

身体健康！

小华

5月10日

老师评语：

这篇作文虽然在内容上对三个提示性问题做出了回应，但语言太过简单且经常重复，没有使用较难的词语。句子大多是简单句，句子之间缺少连贯性，有时文意表达不清。

内容：3/3

语言：3/5

对语言的建议：

1. 不要使用太多空泛的词，应该选择恰当的词语，准确表达意思。比如，“夏令营的活动丰富多彩。”

2. 使用连接词，让句子自然过渡，通顺连贯。比如，“以前我掌握的中文词语很少，所以常常说英文，更不敢和北京人聊天儿。”

3. 语言要富有变化。比如，“现在和北京人说话也越来越自然了。”再如，“我觉得夏令营非常有意思，我很享受在夏令营的生活，也喜欢北京这个城市。”

没有回应全部提示性问题

上个星期，你和家人之间发生了一次误会。给你的朋友写一封信，说说这次误会的经过。

字数：100–120个汉字。满分为8分，其中内容占3分，语言占5分。

在信中，你必须说明：

- 发生了什么误会
- 误会是怎么解决的
- 你当时是什么感觉

晓悠：

你好！好久不见，最近学习忙不忙？我想和你讲一讲我和家人之间发生的一次误会。

上个星期六，吃完晚饭我就回自己的房间做作业去了。老师让我们介绍一个城市，我打算先上网查找资料，正当我打开旅行网站的时候，一个游戏广告的网页自己跳了出来，我还没来得及关上妈妈就进来了。她一推开门，看到我正对着电脑，电脑上是游戏的画面，妈妈以为我在玩儿游戏，她非常生气，觉得我在浪费时间。

你有没有和家人发生过误会呢？有时间就写信告诉我吧！

祝你学业进步！

玲玲

3 月 20 日

老师评语：

这篇作文虽然内容切题，字数也符合要求，但只回应了第一个提示性问题，没有提到“误解怎么解决”和“我当时的感受”，作文的连贯性也受到影响。

内容：1/3

语言：4/5

对内容的建议：

仔细审题，不要遗漏任何一个提示性问题。补充以下内容：“我向妈妈解释，还给她看我做到一半的功课。后来，妈妈知道是她误会我了，她向我道歉。我开始觉得有点儿委屈，可是站在妈妈的角度想一想，就理解妈妈为什么发脾气了。”

文体格式错误

圣诞节的时候，你和父母去了一个地方旅行。写一篇日记，记录这次旅行。

字数：100–120 个汉字。满分为 8 分，其中内容占 3 分，语言占 5 分。

在日记中，你必须说明：

- 你们去了什么地方旅行
- 你发现这个地方和你生活的地方有什么不同
- 你有什么特别的经历

圣诞节的时候，我和爸爸、妈妈一起去了印尼的巴厘岛旅行。这是我第一次去巴厘岛，我发现那里和香港很不同，香港人生活节奏快，说话、走路都很快，但住在巴厘岛的人感觉生活很悠闲。那里的天气非常炎热，听当地人说一年四季都是夏天。巴厘岛的海很美丽，海水清澈又温暖，沙子是浅白色的。在这次旅行中，有一段经历最难忘，就是在我参观的时候看到台阶上有很多猴子，有些猴子的怀里还抱着小猴子，看起来真有趣。

老师评语：

这篇作文回应了全部提示性问题，内容充实，语言表达准确生动，但没有使用段落，格式也不正确。

内容：3/3

语言：3/5

对格式的建议：

2018年1月2日　星期二　　　　　　　　　　　　　　　　天气：晴

从巴厘岛回来已经几天了。圣诞节的时候，我和爸爸、妈妈一起去了印尼的巴厘岛旅行。这是我第一次去巴厘岛，我发现那里和香港很不同，香港人生活节奏快，说话、走路都很快，但住在巴厘岛的人感觉生活很悠闲。那里的天气非常炎热，听当地人说一年四季都是夏天。巴厘岛的海很美丽，海水清澈又温暖，沙子是浅白色的。在这次旅行中，有一段经历最难忘，就是在我参观的时候看到台阶上有很多猴子，有些猴子的怀里还抱着小猴子，看起来真有趣。

明天就开学了，我想带着在巴厘岛拍的照片去学校给我的好朋友丽丽看。

没有理解题意，内容空泛

新学期开始了，今年你在学校参加了一个中国文化社团。给你的朋友写一封信，讲讲你的社团经历。

字数：100–120个汉字。满分为8分，其中内容占3分，语言占5分。

在信中，你必须说明：

- 你在这个社团做什么
- 你为什么参加这个社团
- 你有什么收获

亲爱的小华：

你好！刚刚开学，你的学校生活忙不忙？

我今年参加了学校的社团，我在社团里做了很多事情，都很有意思。我参加这个社团因为希望今年多认识一些朋友。我有很多收获。希望明年我还能参加社团。你呢？你有没有参加社团呢？希望你能写信告诉我。

祝

学业进步！

小斌

2018 年 3 月 5 日

老师评语：

考生虽然尝试回应了全部提示问题，但内容空泛，缺少细节，也没有延伸。从语言表达上不能看出对“社团”一词的准确理解。

内容：1/3

语言：3/5

对内容的建议：

1. 在内容上要体现对“社团”一词的准确理解。比如，“我今年参加了学校的中国文化社团。这学期的社团活动主要是学习写毛笔字。”

2. 除了回应提示性问题，还要有细节性的信息。比如，“我觉得我的收获很大，不但毛笔字越写越好看，而且也变得更有耐性了。”

提示性作文写作自我评估表

		出色 Excellent	满意 Satisfactory	继续努力 More effort
一、内容	**I. Content**			
回应全部提示性问题	Cover all bullet points			
内容切题	Pertinent to the subject			
二、语言	**II. Language**			
语言表达准确	Good level of language accuracy			
词语丰富	A wide range of vocabulary			
句子结构广泛	Varied sentence structures			
格式正确	Correct format			
分段合理	Well-organized paragraphs			
字数达标	Meet the required number of characters			

议论性作文典型错误分析

观点没有倾向性

最近，你的朋友子俊迷上了在网上交朋友，但是他的父母不同意。子俊很苦恼，他写信给你，想知道你对网上交友的看法。请给子俊写一封回信。以下是别人的观点，你可以参考，也可以提出自己的意见，但必须明确表示倾向。

字数：250–300个汉字。满分为22分，其中内容占10分，语言占12分。

可以认识来自世界各地的朋友，了解各地的不同文化。

网上交友不可靠，容易被骗感情、骗钱。

子俊：

你好！你的信我收到了。在信中你说你迷上了网上交友，但你的父母不同意。让我来谈谈我对网上交友的看法吧。

我觉得这是件很有意思的事。在网上你可以找到很多朋友，他们可能来自世界的任何一个地方，和他们聊天儿可以开阔眼界，了解不同地方的生活和文化，还有机会学习外语，真是一举两得。

我也非常理解你的父母。他们不同意你在网上交友是因为你容易受骗，有些人会骗你的感情，也有些人会骗你的金钱。虽然你已经十六岁了，你觉得自己应该能判断什么好、什么不好，但是网上的人有时候不用他们的真名，也不说他们的真实年龄，所以你根本不知道你交的朋友是什么样的人。

其实在网上和现实生活一样，都有好人和坏人。子俊，你一定要小心一点儿，希望你能在网上交到好朋友。等着你回信！

祝好！

晓鹏

4 月 28 日

老师评语：

这篇作文没有表达对“网上交友”的明确观点。考生分别谈了网上交友的好处和坏处，虽然论述充分，但考生的观点模糊，既不支持也不反对，不符合题目要求。

内容：3/10

语言：8/12

对作文结构的建议：

第一段：支持子俊网上交友

第二段：网上交友可以开阔眼界，了解不同的生活和文化

第三段：网上交友可以学习外语

第四段：虽然网上交友容易被骗，但只要小心一点儿，就能交到好朋友

第五段：再次表明支持子俊网上交友

文体格式错误

你的学校决定从明年开始每天放学以后增加一小时做功课的时间。校长就此征集学生意见，给校长写封信，告诉他你的看法。

以下是别人的观点，你可以参考，也可以提出自己的意见，但必须明确表示倾向。

字数：250–300 个汉字。满分为 22 分，其中内容占 10 分，语言占 12 分。

放学以后的时间可以专注发展兴趣爱好或休息。

放学后马上做功课效率不一定高。

最近，学校决定从明年开始，每天放学后增加一小时做功课的时间，学生需要留在学校完成一些功课。关于这个决定，同学们各有不同的意见。我个人非常同意，主要原因如下：

首先，学生在学校做功课可以更专心，因为在学校干扰比较少，老师也会确保我们正在做功课而不是在做其他事情，比如玩儿电脑游戏、上社交网站等。

其次，学生有问题的时候可以马上向老师、同学求助。如果在家做功课，我们不能和同学讨论功课，有问题也只能等到第二天才能问老师。在学校做功课，学生能更快地寻找到答案，完成功课的速度也更快。

最后，如果学生在学校完成了所有功课，放学后就有更多的时间可以专注发展兴趣爱好。我知道有的同学去学习跳舞、画画儿，也有些同学放学以后去做运动。我们还可以和家人享受更多快乐的时光。

总而言之，我认为学校增加做功课时间对学生来说有很多好处，我们能更专心地做功课，有问题的时候也能立刻寻求帮助，回家后也可以有更多的自由时间做喜欢的活动。

老师评语：

这篇作文内容丰富，结构清晰，语言表达也很准确，但文体不符合题目要求。题目中要求写一封信给校长，应该用正式书信的格式。

内容：7/10

语言：11/12

对格式的建议：

尊敬的校长：

您好！我是十年级的陈晓乐。我知道学校决定从明年开始，每天放学后增加一小时做功课时间，学生需要留在学校完成一些功课。我想和您谈谈我的看法，我认为这个决定对学生的学习和生活有很多好处。

……

感谢您百忙之中读我的信，我也很期待有机会和您详细谈一谈。

祝您工作顺利！

您的学生

陈晓乐

5月25日

内容不充足

你的学校每年都会安排学生参加义工活动，你同意这个安排吗？给校报写篇文章，谈谈你的看法。

以下是别人的观点，你可以参考，也可以提出自己的意见，但必须明确表示倾向。

字数：250–300个汉字。满分为22分，其中内容占10分，语言占12分。

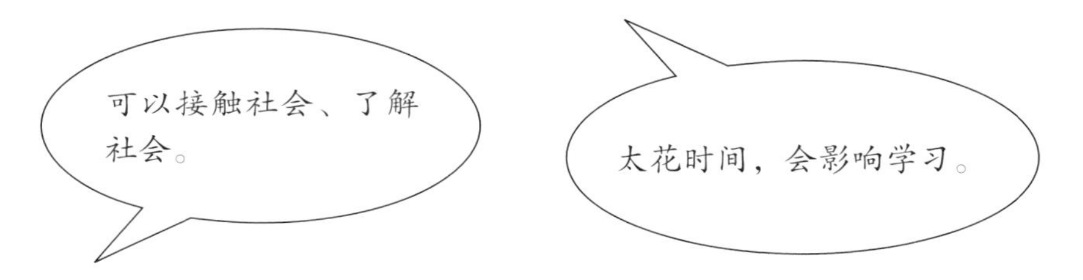

青少年做义工的好处

作者：陈如（十年级）

大家都知道，我们学校每年都会安排各个年级的学生参加义工活动。我非常赞成学校的做法。我认为做义工是非常有意义的一件事，对青少年的成长有很多好处。

参加义工活动可以培养青少年的爱心，帮助有需要的人，可以令自己快乐。参加义工活动可以提高社会交流能力，和不同的人的沟通，认识更多的朋友。参加义工活动可以让青少年接触社会、了解社会。有人觉得参加义工活动占用了学生很多时间，可能会影响学习，这也是一种学习的过程。

因此，我非常赞成学校每年安排学生参加义工活动。

老师评语：

这篇作文虽然观点明确，但内容不充足，观点没有充分地展开论述，缺少细节支持。句子之间不连贯，主体部分组织松散。语言上句式比较单一，缺少变化。

内容：4/10

语言：6/12

对主体部分的建议：

1. 使用标志性词汇和关联词，让内容更加连贯，表达更加清楚。比如，"首先，参加义工活动不但可以培养青少年的爱心，帮助有需要的人，还可以令自己快乐……"；"虽然有人觉得参加义工活动占用了学生很多时间，可能会影响学习，但这也是一种学习的过程。"

2. 充分展开观点。比如，"参加义工活动还可以提高青少年的社会交流能力。在做义工的时候，我们需要跟不同的人沟通。有时候要和老人聊天儿，或者问他们需不需要帮助；有时候遇到问题还要和其他义工一起商量解决的办法。这个过程可以锻炼青少年的能力，我们还有机会认识更多的好朋友。"

3. 使用不同的句式，让语言富有变化。比如，"参加义工活动还让青少年有机会接触社会、了解社会。"

内容偏离主题

你最近在报纸上读到一篇关于压力的文章，文章中提到吃甜食可以减压。给校报写一篇文章，谈谈你怎么看这种减压的方法。

以下是别人的观点，你可以参考，也可以提出自己的意见，但必须明确表示倾向。

字数：250–300个汉字。满分为22分，其中内容占10分，语言占12分。

可以迅速补充能量，人会比较有精神。

容易使人变胖，对健康没好处。

保持健康的建议

作者：刘畅（十一年级）

下个星期就要考试了，同学们的压力都很大。我们每天从早忙到晚，睡觉的时间都不够，有的同学还常常生病。我最近在报纸上读到一篇关于压力的文章，文章中提到吃甜食可以减压。我不赞同这个方法，因为吃甜食容易使人变胖，对健康没好处。我认为有很多其他的方法可以减少压力、保持健康。

首先，我们要经常做运动。课间休息和放学后，可以和朋友打打球，吃完晚饭和家人一起散散步，周末还可以去爬山、游泳。这样才能保持身体健康。当感到压力很大的时候，我们可以和朋友聊天儿，或者约朋友出去看电影，放松心情。我们应该多吃健康食品，少吃快餐、零食，比如炸鸡、薯条、冰激凌等。有些同学常常买饮料喝，很多饮料都太甜，喝太多对牙齿不好，还容易变胖。口渴的时候我们应该喝水，最好保证每天喝八杯水。有的学生早上起床太晚，没有时间吃早餐。这是不对的。人们常常说："早餐好、午餐饱、晚餐少。"吃营养丰富的早餐是非常重要的。最后，我们每天要睡七到八个小时，这样第二天才能精力充沛。睡觉前，还要关掉手机、电脑，不要因为沉迷科技产品影响睡眠质量。

希望同学们都能选择正确的减压方法，在考试中取得好成绩。

老师评语：

这篇作文在内容上主次安排不合理。题目要求学生谈谈对吃甜食这种减压方法的看法，该考生只在第一段中提到了自己的观点，并没有充分展开论述。主体部分则用大量的篇幅介绍了其他减压、保持健康的方法。从整体上看，这篇作文偏离了主题。

内容：4/10

语言：8/12

对作文结构的建议：

第一段：不赞成吃甜食减压的方法

第二段：吃甜食太多影响健康，容易使人发胖，还对牙齿不好

第三段：吃甜食只能带来短暂的满足感，不能从根本上减少压力

第四段：建议其他减压的方法

第五段：再次表明不赞成吃甜食减压的方法

议论性作文写作自我评估表

		出色 Excellent	满意 Satisfactory	继续努力 More effort
一、内容	I. Content			
内容切题	Pertinent to subject			
观点清晰合理	Clear and Reasonable arguments			
支持性细节充分	Sufficient supporting details			
二、语言	II. Language			
语言表达准确	Good level of language accuracy			
词语丰富	A wide range of vocabulary			
句子结构广泛	Varied sentence structures			
格式正确	Correct format			
分段合理	Well-organized paragraphs			
字数达标	Meet the required number of characters			

第三章 口语训练

第一节　口语考试概要

第二节　个人口述、讨论

第三节　一般对话

第一节　口语考试概要

口语考试流程

口语考试共 60 分，占总成绩的 20%，主要考察学生以下五个方面的能力：

1. 清晰、准确、有效地表达信息，交流观点。

2. 运用一些适当的连接词展开回应并连接观点。

3. 准确、有效地运用一些语法结构和词汇。

4. 对发音和语调有一定的掌控。

5. 参与对话并有效地帮助推动对话继续进行。

口语考试大约进行 10–13 分钟，共分为三部分：

因为 IGCSE 0523 中文口语考试没有考试局官方发出的考题，所以在大纲上并没有标明“口语考试的准备时间”，但考生可以在考试开始前根据自己的需要自行安排自己的准备时间，学校也可以适当安排 5–10 分钟的静候待考时间。

第一部分：自选话题个人口述

考生自选话题进行 2–3 分钟的个人口述。所选的话题一定要反映中文地区文化、生活的一个或几个方面。

要注意的是，考生不能照读稿子。考生可以准备一张“提示卡”，上面最多可以包含五个与个人口述内容相关的标题。考生也可以带不超过四份说明性材料辅助个人口述，例如地图、图表、数据及图片等，但是这些材料上不能有额外的文字。提示卡不能超过明信片大小。

第二部分：话题讨论

老师针对考生的个人口述提出一些追加问题，并与考生进行 4–5 分钟的话题讨论。

第三部分：一般对话

老师与考生进行 4–5 分钟的对话，内容与大纲的主题相关。

对话至少包括两个主题：主题一或二选其一；主题三或四选其一。考生不会事先知道话题的内容，但这部分不会与考生的自选话题重复。

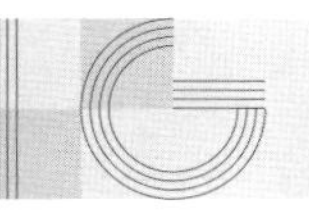

评分标准

第一部分：自选话题个人口述（共 20 分）

此部分针对以下三项进行评分：

1. 内容与表述（10 分）：事实性知识、表达观点的能力、为接下来的讨论提出问题
2. 词汇、发音及语调（5 分）
3. 结构（5 分）

	内容与表述	词汇、发音及语调	结构
	9–10 分	5 分	5 分
程度五	全面覆盖话题内容，有很好的组织结构。 内容包括充分的事实性信息及自己的观点。 表述生动，使考官对话题维持充分的兴趣。	准确地使用广泛、精准的词汇。 发音、语调清楚。	广泛地使用复杂结构。 使用基本正确。
	7–8 分	4 分	4 分
程度四	较好地覆盖话题内容，组织结构合理。 内容包括相关的事实性信息及一些自己的观点。 表述清楚，使考官对话题维持兴趣。	使用一定范围的词汇，但有时稍欠准确。 词汇时有错误，但不影响交流。 发音、语调基本清楚。	使用一些复杂结构和一定范围的简单结构。 错误不影响交流。

	内容与表述	词汇、发音及语调	结构
	5–6 分	3 分	3 分
程度三	基本覆盖了话题内容，组织结构大致清楚。 内容包括一些事实性信息及一些自己的观点。 表述速度较慢，表达稍显生硬，基本维持考官对话题的兴趣。	使用有限的词汇，在使用较难结构时有迟疑。 词汇虽不准确，但并不总是影响理解。 发音、语调有时不清楚，但不影响交流。	准确地使用简单结构。 当尝试复杂的结构时会出现错误。 在简单结构中出现的错误并不影响交流。
	3–4 分	2 分	2 分
程度二	有限地覆盖了话题，缺乏组织结构。 内容包括较少的事实性信息及自己的观点。 表述整体表现较弱但大致连贯，表达有时不合逻辑。	使用非常有限的词汇，有时不能充分地表达简单信息。 经常停顿。 词汇错误经常影响交流。 发音、语调有时使交流困难。	使用非常简单的结构，比如用单字回应。 错误频繁出现，有时影响交流。
	1–2 分	1 分	1 分
程度一	非常有限地覆盖了话题，内容经常不相关。 内容包括极少的事实性信息，观点模糊。 表述不连贯。	使用的词汇只能表达非常零散的信息。 发音、语调经常使交流困难。	只能使用非常简单的结构。 错误经常影响交流。
	0 分	0 分	0 分
	没有任何可供评分的内容。	没有任何可供评分的内容。	没有任何可供评分的内容。

第二部分：话题讨论（共 20 分），及第三部分：一般对话（共 20 分）

这两部分针对以下三项进行评分：

1. 理解与回应（10 分）
2. 词汇、发音及语调（5 分）
3. 结构（5 分）

	理解与回应	**词汇、发音及语调**	**结构**
	9–10 分	5 分	5 分
程度五	理解问题毫无难度。 自然、自发地做出回应，即使是意想不到的问题及对话改变方向也能应对自如。 能够表达及捍卫自己的观点。 充分详尽地展开对话并较持久地进行下去。	准确地使用广泛、精准的词汇。 发音、语调清楚。	使用广泛的复杂结构。 使用基本正确。
	7–8 分	4 分	4 分
程度四	理解问题偶有难度。 回应考虑周到，对意想不到的问题及对话改变方向能较好地应对。 适时地回应问题但倾向于跟从老师主导。 较详尽地做出相关回应，不需要频繁提示。	使用一定范围的词汇，但有时稍欠准确。 词汇时有错误，但不影响交流。 发音、语调基本清楚。	使用一些复杂结构和一定范围的简单结构。 错误不影响交流。

	理解与回应	词汇、发音及语调	结构
	5–6 分	3 分	3 分
程度三	理解围绕简单的情况与概念性的讨论，但对较复杂的观点理解有困难。 回应有些迟疑。 需要提示及鼓励才能展开话题，但尝试使对话进行下去。 回应可能在很大程度上依赖看似事先准备好的内容。	使用有限的词汇，在使用较复杂的结构时有迟疑。 词汇虽不准确，但并不总是影响理解。 发音、语调有时不清楚，但不影响交流。	准确地使用简单结构。 当尝试复杂的结构时会出现错误。 在简单结构中出现的错误并不影响交流。
	3–4 分	2 分	2 分
程度二	理解问题有困难。 对大部分话题的回应内容简短有限。 如果没有提示与鼓励，只能用单字回应问题。	使用非常有限的词汇，有时不能充分地表达简单信息。 经常停顿。 词汇使用错误，经常影响交流。 发音、语调有时使交流困难。	使用非常简单的结构，比如用单字回应。 错误频繁出现，有时影响交流。

	理解与回应	词汇、发音及语调	结构
	1-2分	1分	1分
程度一	对问题的理解有严重的困难。 非常明显的停顿。 有限的反应。 回应非常简短、不准确，几乎不能交流。	使用的词汇只能表达非常零散的信息。 发音、语调经常使交流困难。	只能使用非常简单的结构交流。 错误经常影响交流。
	0分	0分	0分
	没有任何可供评分的内容。	没有任何可供评分的内容。	没有任何可供评分的内容。

准备口语考试的注意事项

在准备自选话题个人口述时，考生应该选择自己熟悉的、感兴趣的话题。在三分钟内，个人口述内容应该尽量全面，既要有事实性的信息，也要有自己的观点。结构要清晰，开头介绍话题，最后要有结束语，要多使用关联词和主题句。词语要准确、丰富，可以多使用四字词语或谚语。

在第二、第三部分，考生应该积极地回应考官的问题，避免使用“是”“没有”等简单的回应，应该尽量扩展答案，每个问题的回应最好不少于三句话。如果没有听清楚问题，可以有礼貌地让考官再重复一遍问题。

在口语考试时，考生的语速不应该过快或者过慢，音量也要适中，让考官可以听清楚。在个人口述部分，如果忘记了事先准备的内容，不要停顿太长时间，也不需要惊慌，可以先跳过这部分或者即兴发挥，避免影响个人口述的整体表现。

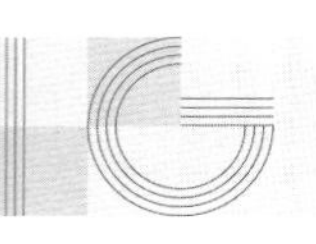

口语考试文本参考

以下是一个完整的口语考试文本参考：

考官 你今天想谈一下什么话题?

考生 老师好！今天我想谈一谈新的沟通方式。在爷爷、奶奶的年代，人们最常用的沟通方式是写信；在爸爸、妈妈的年代，人们靠打电话保持联系；在我的年代，人们利用互联网与人沟通。我们可以在智能手机上下载社交软件，或者在电脑上浏览社交网站，只要有了互联网，人们就能随时随地和家人、朋友保持联系。这些社交软件的功能多样，除了发信息，我们还可以迅速地把照片或者短片传给亲友，分享生活中的喜怒哀乐。我最常使用的社交软件是微信和脸书，有时候放学以后我想和朋友出去玩儿，我会用微信发信息告诉妈妈，我还能和妈妈分享我所在的位置，这样她就不用担心了。我们还经常把家人的照片发给住在英国的爷爷、奶奶，这样他们也能了解我们生活中的点点滴滴。我们也会和爷爷、奶奶打视频电话，即使我们不住在一起，我也感觉爷爷、奶奶好像就在身边一样。虽然社交软件给我们的生活带来了方便，缩短了人与人之间的距离，但是如果过分依赖社交软件，对我们也会有负面影响。第一，有些青少年太沉迷社交软件，他们每隔几分钟就要看一下手机或电脑查看新的信息，上课的时候也不例外。这样他们就无法专心学习，学习成绩也会下降。第二，沉迷社交软件对身体不好。经常盯着手机或者电脑的屏幕，眼睛会感到很干，还可能导致近视。总的来说，互联网让人与人之间的沟通更方便，但是我们一定要合理地使用社交软件，不能让它影响我们的学习和健康。我今天就谈这么多了，谢谢！

考官 现在我会根据你刚才所说的问你一些问题。你最喜欢社交软件的什么功能?

考官 我们再来谈一谈旅行。你喜欢旅行吗？

考生 我非常喜欢旅行。我和家人一年去两次旅行，一次在暑假，一次在圣诞节。我们去过不少国家，有泰国、日本、新加坡等。

考官 你最难忘的一次旅行是去哪里？

考生 我最难忘的旅行是和家人一起去泰国的普吉岛浮潜。普吉岛的海水清澈见底，浮在海水里就能看到小鱼游来游去。我的爸爸提议去浮潜。那是我第一次浮潜，虽然穿着救生衣，但刚开始时我还是有点儿紧张。过了一会儿我就不怕了，而且还完全被海底的美丽景色吸引住了。那一次我看到了五颜六色的珊瑚、小丑鱼，还看到了海龟。

考官 泰国的环境和香港比较，有什么不同？

考生 泰国的自然环境更好。我们住的酒店附近没有高楼大厦，到了晚上那里很安静，四周也很黑，抬起头就能看到很多星星，我在普吉岛酒店住的那几天都睡得非常好。而在香港，一些地方到了晚上就很吵闹，街上还有 24 小时亮着的广告牌，影响附近居民的休息和睡眠。

考官 今天的口语考试就到这里，谢谢你的分享。

考生 谢谢老师！

第二节 个人口述、讨论

主题一 年轻人和教育

优秀范例

话题 1：我的学校

思维导图

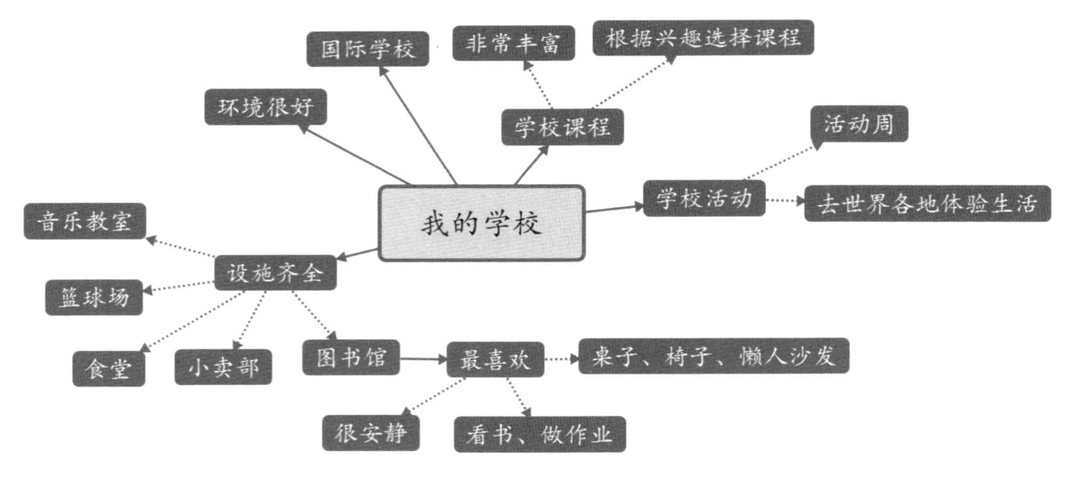

口述文本

今天我想谈谈我的学校。我的学校是香港的一间国际学校，学校坐落在山上，所以学校周围的环境很好。我的学校并不是很大，但各种设施都很齐全，有图书馆、音乐教室、篮球场、食堂、小卖部等。我最喜欢的地方就是图书馆了。图书馆在学校的三楼，那里非常安静，我最喜欢课间的时候和朋友去图书馆看书或者做作业，里面有桌子、椅子，还有好几个懒人沙发。懒人沙发非常受同学们的欢迎，因为坐在上面看书感觉很舒服，也很放松。学校的课程非常丰富，我们可以根据自己的兴趣选择学习科目，不用受文科、理科的限制。学校还为学生提供各种机会，让我们可以全面发展。我们每年都有“活动周”。在那个星期，我们可以选择去不同的国家和地区体验丰富多彩的活动，比如，我们可以去菲律宾学习潜水，也可以去台湾骑自行车环岛旅行，当然也有很多本地的活动。总而言之，我非常享受我的学校生活。谢谢！

追加问题

老师可以根据考试时间决定追加问题的数量，不限于以下三个问题：

1. 在学校你最喜欢什么科目？
2. 去年的“活动周”，你参加了什么活动？
3. 你们学校的食堂饭菜怎么样？

话题 2：未来的计划

思维导图

口述文本

近几年，去国外留学的学生人数不断增加，我也打算在中学毕业以后去国外留学。我认为去国外留学对我的成长有很多好处。第一，去国外留学可以让我有丰富的生活阅历，开阔视野。我还可以学会怎样与来自世界各地的同学相处，接触到不同的文化，也能体验当地的风土人情。其次，去国外留学可以培养我的自理能力。父母不在身边，我一定要自己照顾自己，这样可以改掉“衣来伸手、饭来张口”的习惯。我希望国外留学的经历可以让我变得更独立、更成熟。在大学毕业以后，我会回到香港工作。我是家里唯一的孩子，父母年纪越来越大，我希望可以在父母身边照顾他们。

追加问题

老师可以根据考试时间决定追加问题的数量，不限于以下三个问题：

1. 你打算去哪里上大学？学什么专业？
2. 去国外上大学可能会遇到什么困难？
3. 如果你在国外想家了，你会怎么办？

话题 3：理想职业

思维导图

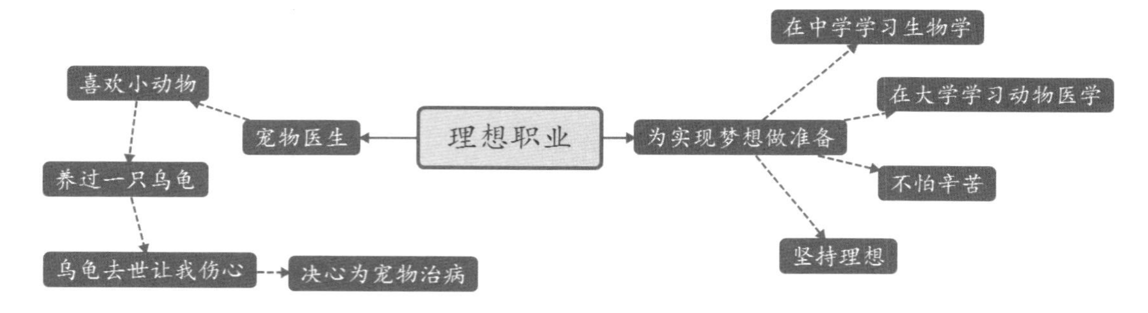

口述文本

我来谈谈我的理想职业。从小到大，我一直有个梦想，就是以后要当宠物医生。我和家人都非常喜欢小动物，我的第一个宠物是一只乌龟，那是妈妈送给我的。我很喜欢我的乌龟，每天给它换水，喂它吃乌龟粮，天气好的时候还把它放在阳台上晒太阳。乌龟冬天的时候会冬眠，但是第二年春天，我的乌龟再也没有醒过来，我非常伤心。我意识到，宠物不会讲话，如果它们不舒服也不能告诉主人。我那时候就决定了要做宠物医生，可以给宠物治病，让它们远离痛苦，快乐地和主人一起生活。现在在学校，我最喜欢的科目就是生物，我希望可以多学一点儿有用的知识，为以后做准备。我打算在大学选择和动物医学相关的专业。虽然我听说学习医学要比其他的专业花更长时间，可能要五六年，但是我觉得为了我的理想职业，在大学的时候辛苦一点儿没什么。我要坚持理想，理想才能实现。

追加问题

老师可以根据考试时间决定追加问题的数量，不限于以下三个问题：

1. 你的父母支持你当宠物医生吗？
2. 你打算在本地上大学还是去外国留学？
3. 如果去外国上大学，你可能遇到什么困难？

话题 4：我的朋友

思维导图

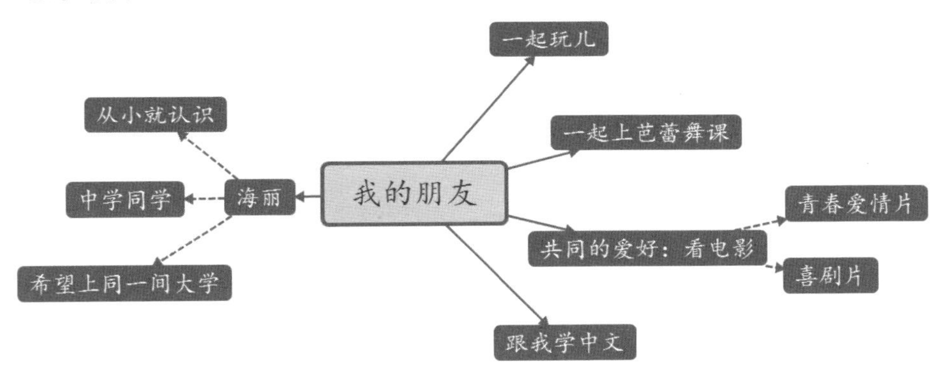

口述文本

我今天想谈谈我的朋友。我最好的朋友叫海丽，我们从小就认识了。她现在是我的中学同学，周末的时候我经常去她家里玩儿。我们还一起去上芭蕾舞课。海丽的爸爸是英国人，但海丽是在香港出生的。她和爸爸、妈妈说英文，但是当我们两个在一起的时候，我们有时候会用中文聊天儿，因为海丽希望可以练习中文口语，可是她有点儿害羞。如果她做中文作业时遇到困难也会问我，我很乐意帮助她。除了跳芭蕾舞，我们还有一个共同的爱好，那就是看电影。如果没有考试，我们几乎每个星期六早上都一起去电影院，我们用学生证可以买到半价的电影票。我们最喜欢看青春爱情片，有时候也看喜剧片。我希望中学毕业以后可以和海丽上同一间大学。

追加问题

老师可以根据考试时间决定追加问题的数量，不限于以下三个问题：

1. 海丽的性格怎么样？
2. 你和海丽平时会聊什么话题？
3. 如果你和海丽发生了争执会怎么解决？

主题二 社会

优秀范例

话题 1：我的家庭

思维导图

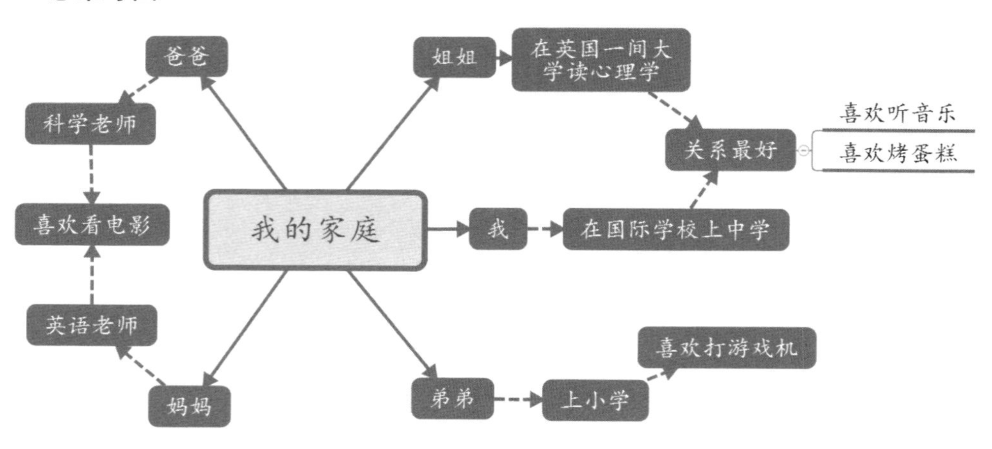

口述文本

我来谈一谈我的家庭。先介绍一下我自己，我今年十五岁，在国际学校读书，上十一年级。我家有五口人：爸爸、妈妈、姐姐、弟弟和我。我的爸爸、妈妈都在学校上班，妈妈是英语老师，爸爸是科学老师。我的弟弟只有七岁，他去年才上小学。我的姐姐是大学生，她学习成绩非常好，现在在英国读心理学。以前我学习上遇到问题都会向姐姐请教，姐姐会很耐心地教我。我和姐姐之间没有秘密，开心、不开心的事我都会和姐姐分享。现在姐姐在英国读书，我平时只能发信息和她联系，周末的时候我会和姐姐打视频电话。我和家人有不同的爱好。我和姐姐都喜欢听音乐，我们也喜欢一起烤蛋糕，去年暑假，我和姐姐还一起参加了烘焙学习班。我的弟弟喜欢打游戏机，我的爸爸、妈妈喜欢看电影，可是他们的工作很忙，没有时间看电影。这就是我的家庭。

追加问题

老师可以根据考试时间决定追加问题的数量，不限于以下三个问题：

1. 你和家人有没有去英国探望过姐姐?
2. 周末的时候，你和家人有什么家庭活动?
3. 在你们家谁负责做饭?

话题 2：我喜欢的一位名人

思维导图

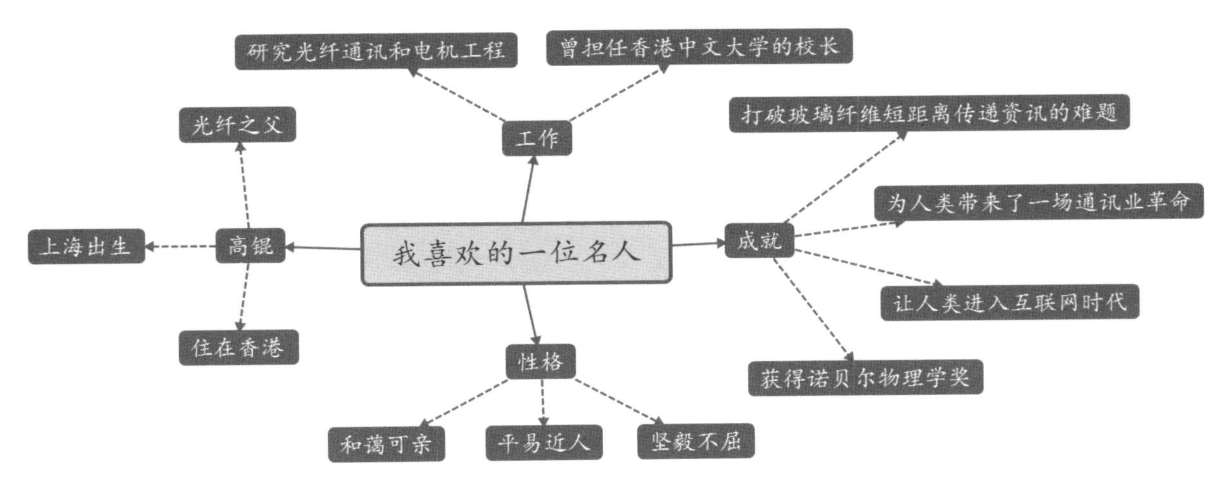

口述文本

我来介绍一下我最喜欢的名人——高锟。高锟被称作“光纤之父”，他在上海金山出生，后来居住在香港。他的工作领域是研究光纤通讯和电机工程，他也曾经担任香港中文大学的校长。高锟提出用石英基玻璃纤维进行长距离资讯传递，打破了玻璃纤维只能短距离传递资讯的难题，为人类带来了一场通讯业革命。高锟就是因为这个革命性的发明获得诺贝尔物理学奖。如果没有高锟的研究成果，就没有我们今天的互联网时代。可惜，高锟晚年得了阿兹海默症，忘记了很多事情，甚至连自己获得诺贝尔奖都忘了。但是，他还是和蔼可亲、平易近人。我很佩服高锟坚毅不屈的精神，他激励我遇到困难的时候不要半途而废，应该积极地面对挑战。

追加问题

老师可以根据考试时间决定追加问题的数量，不限于以下三个问题：

1. 你对高锟研究的光纤领域感兴趣吗？
2. 互联网给我们的生活带来了什么改变？
3. 假如你过去有机会采访高锟，你最想问他什么问题？

话题 3：爱好

思维导图

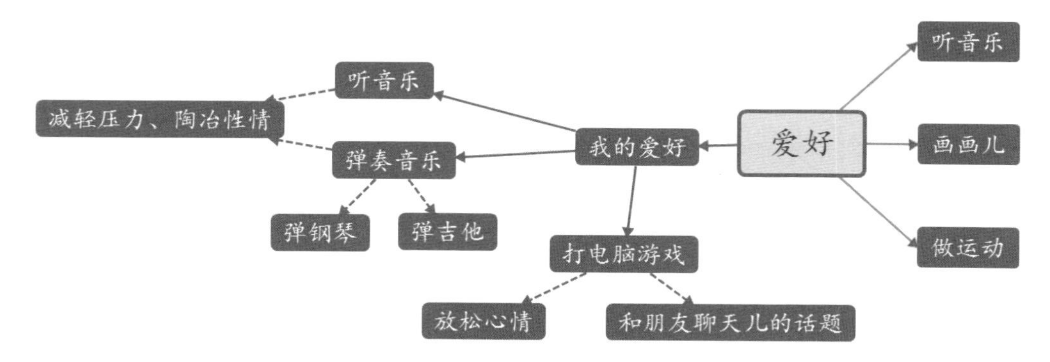

口述文本

我想谈一谈我的爱好。每个人都有自己的兴趣爱好，年轻人最常见的爱好包括：听音乐、画画儿和做运动等。我从小就对音乐情有独钟。我不但喜欢听音乐，更喜欢弹奏音乐。钢琴、吉他我都会弹，我几乎每天都腾出一点儿时间来练习弹奏。我觉得音乐能让我减轻压力，还可以陶冶性情。除了听音乐，我还喜欢打电脑游戏。现在科技越来越发达，很多青少年都把爱好转移到网上，我自己也不例外。我会在做完作业以后打一会儿游戏，每次打电脑游戏半个小时左右。我和朋友聊天儿的话题也经常和电脑游戏有关。我觉得适当地玩儿电脑游戏可以放松心情，但我一定不会沉迷游戏，学习很忙的时候我会克制自己，不会在游戏上浪费太多时间。

追加问题

老师可以根据考试时间决定追加问题的数量，不限于以下三个问题：

1. 你喜欢听什么类型的音乐？

2. 你平时怎么分配学习和娱乐的时间？

3. 过度玩儿电脑游戏对青少年有什么影响？

话题 4：青少年和电脑

思维导图

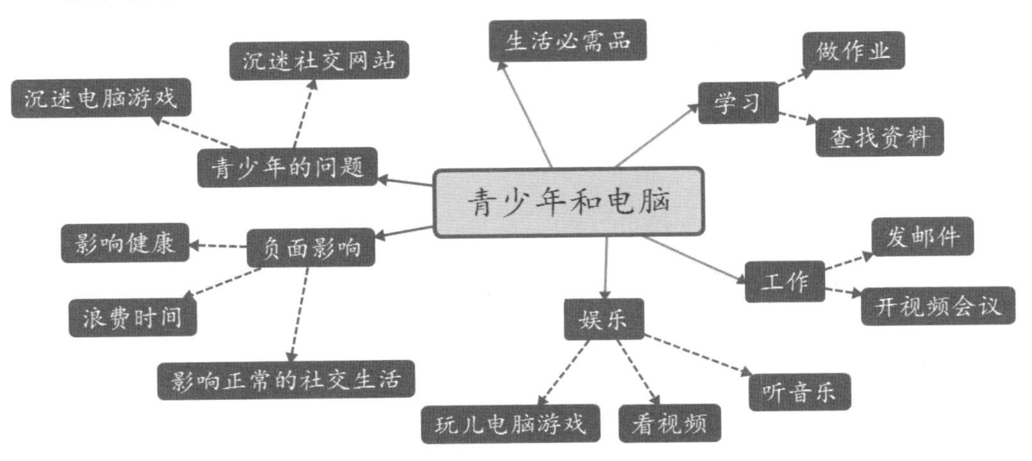

口述文本

我来说说青少年和电脑这个话题。电脑是现代人生活的必需品，无论是学习、工作还是娱乐，很多事情我们都需要依靠电脑来完成。学生可以用电脑做作业、查找资料等；在工作上，人们用电脑发邮件，也可以开视频会议；我们还可以用电脑看视频、听音乐、玩儿电脑游戏等。电脑给我们的生活带来很多方便，我们学习、工作的效率提高了，娱乐生活也更加丰富了。但是，很多青少年过度依赖电脑，影响了正常生活。有些青少年沉迷社交网站，他们在做作业的时候每五分钟就要看一次社交网站，看看朋友发的新照片，或者看看有没有新的留言。也有些青少年沉迷电脑游戏，我甚至看到有些同学在中午吃饭的时候还在玩儿电脑游戏，这样非常不好，不但影响健康，浪费时间，还影响了正常的社交生活。因此，青少年一定要善用电脑，不能太沉迷，让电脑为我们的生活带来好的影响。

追加问题

老师可以根据考试时间决定追加问题的数量，不限于以下三个问题：

1. 你平时用电脑做些什么？
2. 为什么沉迷电脑游戏会影响青少年的社交生活？
3. 如果你身边有朋友过度使用电脑，你会给他 / 她什么建议？

话题 5：网上交友

思维导图

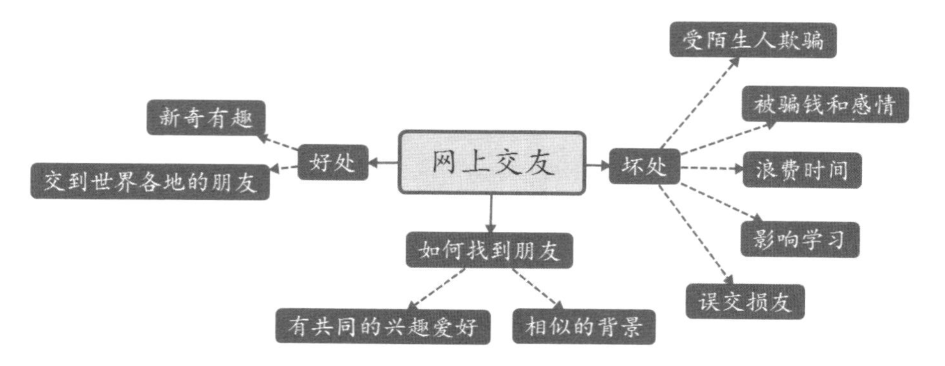

口述文本

我今天要说的题目是网上交友。现在，很多人会用脸书等社交网站和朋友保持联系。相信很多人都收到过陌生人发来的交友邀请，这些人可能是因为发现和你有共同的兴趣爱好，也可能因为有相似的背景才向你发出交友邀请。网上交友新奇有趣，可以让我们结识来自世界各地的朋友。但是，有时候我们对陌生人的交友目的一无所知，我的朋友就有一次不好的网上交友经历。他们在脸书上认识，每天都花几个小时在网上聊天儿，甚至放弃了和其他朋友的社交时间，当然也影响了学业。后来他们约好打算见面，可是那个所谓的朋友没有出现，在网上也再也找不到他了。那时我的朋友才感觉自己可能受骗了。因此，网上交友要时刻保持警惕，不然的话就可能被骗钱、骗感情等。误交损友对我们的学习成绩和身心健康都有很坏的影响，我们千万要小心。

追加问题

老师可以根据考试时间决定追加问题的数量，不限于以下三个问题：

1. 你有没有网上交友的经历?

2. 和朋友在网上聊天儿的时候要注意什么?

3. 如果你的网上好友邀请你见面，你会答应吗?

话题 6：健康饮食

思维导图

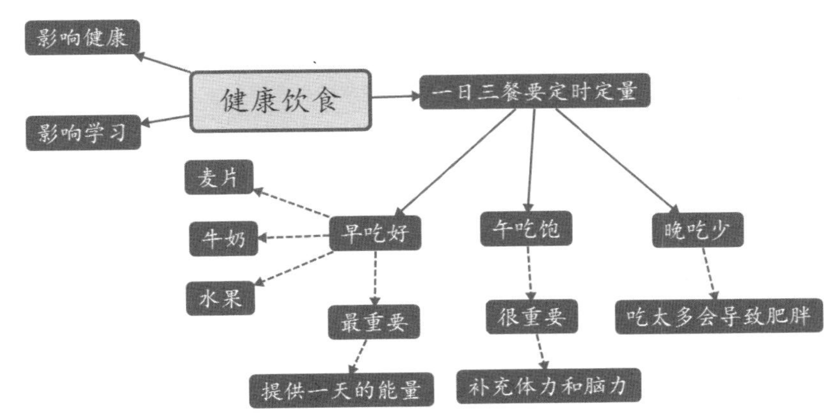

口述文本

今天我要说的题目是健康饮食。作为青少年，我们要留意日常生活习惯。饮食不当不但会影响健康，还会影响学习。我们每天的三顿饭都应该定时定量。中国人说，“早吃好、午吃饱、晚吃少。”早餐是一日三餐中最重要的一餐，早餐不但能提供一天的能量，还可以让我们精神充沛，好的早餐有麦片、牛奶、新鲜的水果等。另外，吃营养丰富的午饭也是非常重要的。午餐可以为我们补充体力和脑力。最后，晚饭不应该吃得太饱，要少吃油腻、不好消化的食物，不然可能会导致肥胖。我知道有些同学睡觉前会吃宵夜，这个习惯也不太健康，应该尽量避免。总括而言，我们应该养成良好的饮食习惯，注意营养搭配，少吃垃圾食品。这样我们才能拥有健康的身体，学习起来也会事半功倍。

追加问题

老师可以根据考试时间决定追加问题的数量，不限于以下三个问题：

1. 你自己的饮食习惯健康吗？
2. 很多青少年喜欢吃快餐，你怎么看？
3. 除了饮食之外，青少年要保持健康还应该注意什么？

优秀范例

话题 1：一次旅行

思维导图

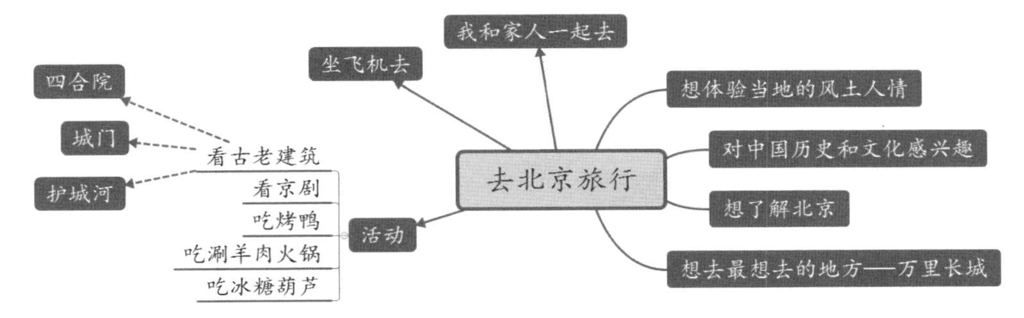

口述文本

今天我想谈谈在北京的一次旅行。俗话说，“读万卷书，不如行万里路。”我特别喜欢这句话，也特别喜欢旅行。去年暑假，我和家人一起坐飞机去北京旅行。这次北京之行让我们充分体验了当地的风土人情。在从机场到酒店的路上，我看见不少有特色的古老建筑，有四合院、城门、护城河等等。这些都是我从来没见过的，所以觉得很新奇。我从小就对中国的历史和文化特别感兴趣，这次北京之旅我最想去的地方就是万里长城。到达北京的第二天，我终于如愿以偿，和家人一起登上了长城。我们也游览了其他名胜古迹。我们还去了茶馆，看了传统京剧，吃了北京烤鸭、涮羊肉火锅和冰糖葫芦。我觉得北京好玩儿的、好吃的真是数不胜数！我对北京的印象特别好，这次旅行让我对北京有了更深的了解。

追加问题

老师可以根据考试时间决定追加问题的数量，不限于以下三个问题：

1. 你觉得北京的交通方便吗？
2. 你对北京人的印象怎么样？
3. 如果你的朋友第一次去北京旅行，你会推荐他 / 她去什么地方？

话题 2：我的家乡

思维导图

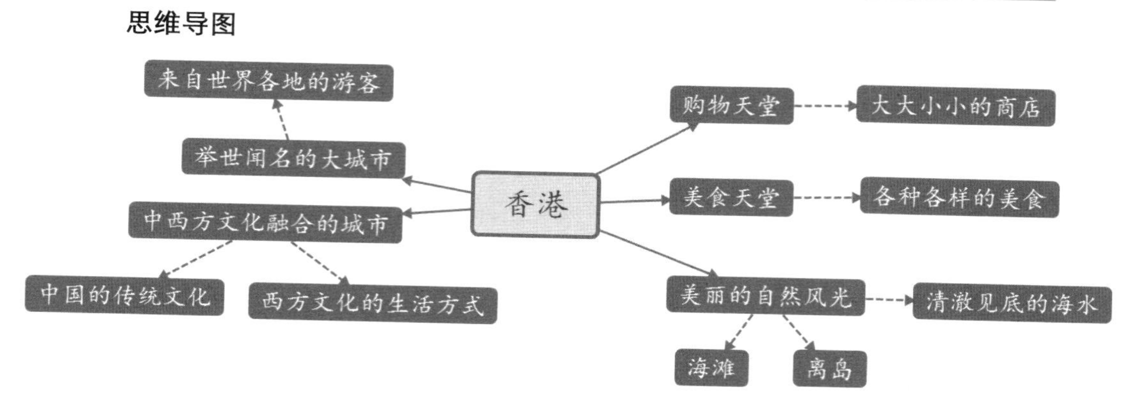

口述文本

今天我要说的题目是“我的家乡——香港”。香港是一个举世闻名的大城市，这里是游客的购物天堂，也是美食天堂。在香港，我们可以看到来自世界各地的游客，街道熙熙攘攘，非常热闹。在这个城市的每一个角落里都可以找到各种各样的美食，有风味十足、价钱便宜的街边小吃，也有米其林推荐的高级餐厅。除了是一个繁华的城市之外，香港的自然风光也非常美丽。香港有很多海滩和离岛，这些地方都是香港人周末的好去处。我的家就在海边，海水清澈见底，我认为那是香港最美丽的海景。香港也是一个中西方文化融合的城市，既保留了中国的传统文化，又有西方文化的生活方式，这让香港人的生活更加丰富多彩。香港是我出生、长大的地方，我永远爱我的家乡——香港。

追加问题

老师可以根据考试时间决定追加问题的数量，不限于以下三个问题：
1. 你和家人经常去哪里买东西？
2. 如果你的朋友来香港旅行，你推荐他 / 她去什么地方？

追加问题

老师可以根据考试时间决定追加问题的数量，不限于以下三个问题：

1. 去年春节，你和家人是怎样度过的？

2. 你会怎样使用压岁钱？

3. 春节和圣诞节，你更喜欢哪个节日？

话题 2：中秋节

思维导图

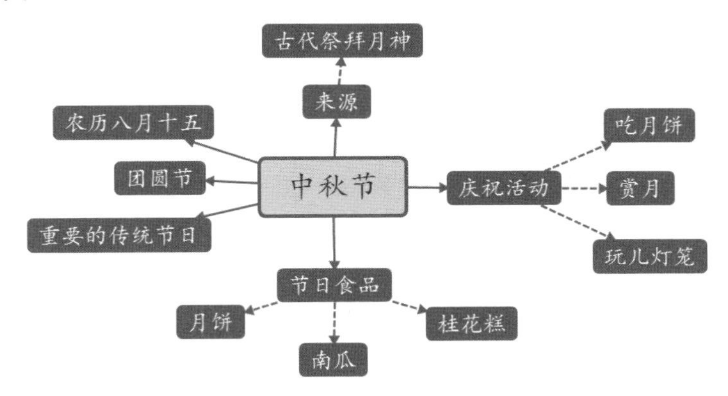

口述文本

今天我要讲讲中秋节。中秋节在农历八月十五，也叫团圆节。中秋节对中国人来说是一个很重要的传统节日，也是一家人团圆的日子。有关中秋节的来源，据说是古代有祭拜月神的习俗。到了周代，每家每户为了祭拜月神要做些特别的活动。这些习俗保留下来就是现在的中秋节。中秋节有很多节日食品，有月饼、南瓜、桂花糕等。现在月饼有很多不同的馅儿，我最喜欢吃的是莲蓉蛋黄的。中秋节这天晚上的月亮是一年中最圆、最亮的，家家户户在晚上一边吃月饼一边赏月。赏月是盼望一家人团团圆圆。除了赏月，人们也会点灯笼。小孩子最喜欢玩儿灯笼，灯笼有各种各样的造型，有金鱼、兔子等。中秋节也是我最喜欢的传统节日。在我小的时候，父母每年中秋节都带我和姐姐去公园吃月饼、赏月和玩儿灯笼。这是我美好的童年回忆。

追加问题

老师可以根据考试时间决定追加问题的数量，不限于以下三个问题：

1. 你最喜欢的中秋节活动是什么？

2. 现在你们家是怎样庆祝中秋节的？

3. 除了中秋节，你还知道哪些中国的传统节日？

话题3：圣诞节

思维导图

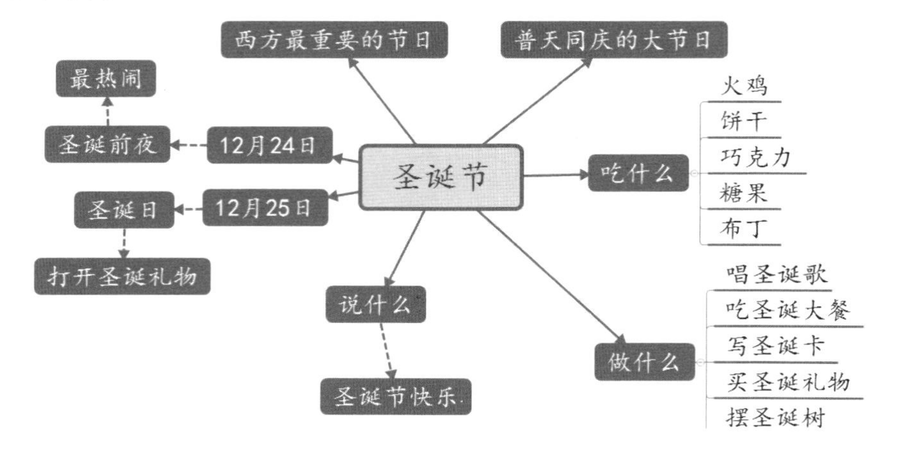

口述文本

今天我想讲一下圣诞节。圣诞节虽然是西方人最重要的节日，但现在越来越多的国家，包括中国，都开始庆祝圣诞节了。圣诞节已经成为普天同庆的大节日。我家每年都会庆祝圣诞节。圣诞节在每年的12月25日，圣诞前夜是12月24日。最热闹的庆祝活动都是在圣诞前夜进行的。圣诞节的时候，我们说“圣诞节快乐”，唱“圣诞歌”，吃火鸡、糖果、饼干、布丁和巧克力。我妈妈每年圣诞节都会在家里自己做一只美味的大火鸡，然后邀请亲戚朋友一起来吃圣诞大餐，特别热闹，也特别有节日气氛。圣诞节的时候，我们还会给朋友写圣诞卡，买圣诞礼物，也会在家里摆圣诞树。圣诞节那天，我们要打开圣诞礼物。我最喜欢圣诞节，因为我每年的圣诞节都会收到很多礼物。

追加问题

老师可以根据考试时间决定追加问题的数量，不限于以下三个问题：

1. 你最喜欢的圣诞节活动是什么？

2. 现在你们家是怎样庆祝圣诞节的？

3. 除了圣诞节，现在的中国人还会庆祝哪些西方的传统节日？

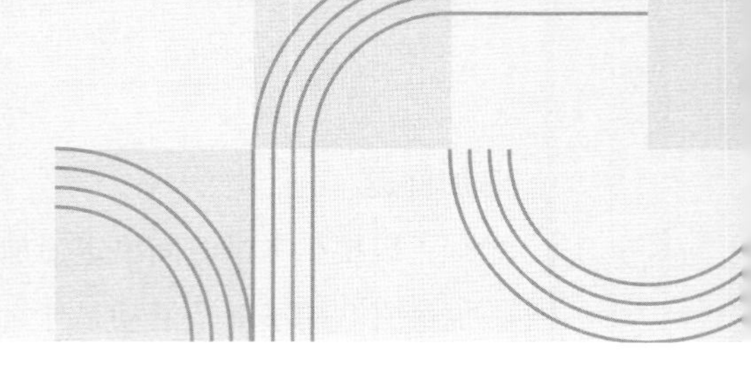

第三节 一般对话

主题一 年轻人和教育

练习题库

话题 1：学校与教育

1. 你的学校叫什么名字？你上几年级？学校有多少学生？多少老师？
2. 你的学校是一间什么样的学校？
3. 你来这所学校多久了？为什么来这里读书？
4. 你喜欢你的学校吗？喜欢哪些地方？
5. 说一下你一天的学校生活。（每天几点上课？上几节课？一节课多长时间？几点放学？几点回家？）
6. 你中午在学校买饭还是自己带饭？
7. 学校的饭菜怎么样？价钱贵不贵？
8. 你今年学了哪几门课？最喜欢哪一门？最不喜欢哪一门？
9. 你学汉语多久了？你觉得怎样才能把汉语学好？
10. 除了汉语，你们学校的学生还可以修其他外语吗？
11. 同学们在中午的时候会做些什么？
12. 你的学校有哪些课外活动？你参加过哪些课外活动？
13. 学校里有什么设备？
14. 你觉得你的学校有什么好的地方和不好的地方？
15. 你的学校有什么需要改善的地方？
16. 你的学校每年会举办哪些大型活动？这些活动对学生有什么好处？

17. 考试前你会怎样做准备？

话题2：未来的计划

1. 你以后打算上大学吗？
2. 你中学毕业后准备去哪里上大学？
3. 你最想上哪所大学？为什么？
4. 你想在大学里主修什么？
5. 你想学什么专业？为什么？
6. 你觉得学习中文最难的地方是什么？
7. 你觉得学习中文对以后工作有什么好处？
8. 你念完书想做哪一类型的工作？
9. 不用上课时，你会考虑当义工吗？
10. 如果有机会当义工，你会做哪一种义工服务？
11. 暑假时，如果有打工的机会，你会考虑吗？
12. 你有喜爱的职业吗？
13. 对你来说，什么是理想的工作？
14. 你的爸爸、妈妈是做什么的？你希望长大以后和他们做一样的工作吗？为什么？
15. 长大以后你想做什么工作？
16. 要做好这个工作需要什么条件？
17. 你有没有想过以后要留在你住的地方工作还是去别的地方工作？为什么？
18. 你认为什么样的工作才算是好工作？

话题3：朋辈之间的关系

1. 你有要好的朋友吗？
2. 你是如何跟朋友相处的？
3. 遇到困难的时候，你会找朋友来帮忙吗？
4. 你认为怎样才可以和别人建立良好的关系？
5. “网上交友”越来越普遍了，你认为在网上交朋友要注意些什么？

6. 你认为能够做好朋友最重要的是什么？为什么？

7. 你认为作为你的好朋友，需要具备什么条件？

8. 有空的时候，你会邀请朋友到外面吃饭吗？

9. 你怎么过你的生日？

10. 介绍一下你的一位好朋友。

11. 你认为交朋友要注意什么？

12. 你觉得怎样才算是真正的好朋友？

13. 朋友有困难时，你会给她 / 他什么帮助？

14. 你同意“近朱者赤，近墨者黑”这句话吗？为什么？

15. 中国人和西方人对待朋友有什么不同的地方？

16. 你对“患难见真情”这句话有什么看法？

主题二 社会

练习题库

话题 1：家庭关系和代沟

1. 你们家养动物吗？（如果有，是什么动物？什么人照顾它？怎么照顾它？）

2. 你们家住在哪儿？附近环境怎么样？

3. 在你们家里，谁煮饭、烧菜、做家务？

4. 你的卧室里有什么家具？

5. 你和家人在一起通常会做些什么活动？

6. 说一下你平日一天的生活。

7. 周末你和家人会做什么？

8. 你怎么安排自己的课余时间？

9. 你放长假的时候会和家人去哪儿旅行？

10. 请介绍一下你的家。

11. 你喜欢大家庭还是小家庭？为什么？

12. 你有没有兄弟姐妹？你觉得做独生子女好不好？为什么？

13. 你的亲戚都住在同一个国家吗？有没有常来往？

14. 你和家人的关系怎么样？

15. 你认为怎样才可以建立好的家庭关系？

16. 有困难的时候，你会找家人来帮忙吗？为什么？

17. 如果和家人有误会时，你会怎么去解决问题？

18. 你心情不好的时候通常会做什么？

19. 你跟父母能够进行很好的沟通吗？举个例子。

20. 谈谈你对“自由、独立”的看法。

话题 2：青年人

1. 你认为青年人的烦恼是什么？

2. 你赞成学生在求学期间谈恋爱吗？

3. 谈谈你对单亲家庭中成长的孩子的看法。

4. 你怎么看香港的老人问题？

5. 谈谈你对校园毒品问题的看法。

6. 谈谈你住的地方的社会问题。

7. 谈谈你住的地方的家庭问题。

8. 谈谈你喜爱的一位明星或知名人士。

话题 3：健康饮食

1. 你喜欢吃什么食物？

2. 平时在家 / 学校里吃什么？

3. 你喜欢吃中餐还是西餐？为什么？

4. 你最喜欢的中餐是什么？你最喜欢的西餐是什么？

5. 你们家常吃快餐吗？你觉得吃快餐有什么好处 / 坏处？

6. 你妈妈的拿手菜是什么？

7. 中餐和西餐在做法上有什么不同的地方？

8. 中式早餐通常可以吃什么？

9. 西式早餐通常有什么吃的？

10. 健康的饮食习惯是什么？

11. 你们家吃零食吗？如果吃，会是什么样的零食？

12. 妈妈最常买哪些水果？

13. 你喜欢吃中餐、西餐还是快餐？为什么？

14. 介绍一下 2–3 道你经常吃的菜。

15. 你家经常出去吃饭吗？你家常去哪一家饭店吃饭？

16. 你们家多久到外面吃一次？如果出去吃东西，大部分都吃些什么？

17. 你们家常去的餐馆有些什么好吃的菜？

18. 到外面吃饭有什么好处和坏处？

话题 4：体育运动

1. 你有什么爱好？

2. 你最爱做什么运动？

3. 每星期你都有些什么活动？

4. 你平常会做哪些运动？

5. 运动和健康有什么关系？

6. 怎样才可以保持身体健康？

7. 要保持好的身体，需要注意什么？

8. 工作忙的人，你会建议他们做什么运动？

9. 做运动对健康有什么影响？

10. 谈一下你上一次生病的经验。

11. 你认为“节食减肥”好吗？为什么？

12. 如果你的好朋友很胖，你会怎么建议他 / 她减肥？

话题 5：电影与媒体

1. 你喜欢听哪一类音乐？

2. 你最爱看哪一类书（漫画 / 杂志 / 小说）？为什么？

3. 你最爱看哪一类电视节目或电影？为什么？

4. 你一天花在看电视、玩儿电脑上的时间多吗？

5. 看电视和玩儿电脑是很多人的休闲娱乐方式，你认为这是健康的吗？

6. 电视对青少年有什么影响？

话题6：你及你的爱好

1. 请介绍一下你自己。（哪国人？在哪儿出生？属什么？生日是哪一天？）

2. 你的志愿是什么？

3. 有空时，你喜欢哪些活动？

4. 说一下你所爱的运动。

5. 请简单介绍一下你每天的生活。

6. 你认为自己是一个怎样的人？

7. 你的朋友 / 老师 / 家人觉得你是一个什么样的人？

8. 你觉得自己在各方面做得怎么样？

9. 你的生肖是什么？你认为你像爸爸还是妈妈？为什么？

10. 你有没有偶像？他 / 她是谁？为什么？

11. 你最尊敬的人是谁？为什么？

12. 说一下你难忘的一次旅行。

13. 说一下你最难忘的一件事。

14. 遇到困难的时候，你会怎样做？

话题7：新科技

1. 电脑对青少年有什么影响？

2. 你通常是怎样跟朋友联系的？

3. 你认为自己关心时事吗？一般都是从哪儿得到这些消息？

4. 现今媒体的发展对你的生活有什么影响？

5. 互联网给人类生活、工作和学生的学习带来哪些好处和坏处？

6. 你每天都用电脑吗？用电脑做什么？

7. 父母会限制你用电脑或玩儿电子游戏吗？你对父母的做法有什么看法？

8. 学校说以后的新学生上课都要准备一台电脑，你对这件事有什么看法？

9. 谈谈你对科技发展与社会生活的关系的看法。

10. 谈谈科技的发展对传统的学习方式造成了什么改变。

主题三 全球问题

练习题库

话题 1：城市与郊外生活

1. 你家附近有什么设施？
2. 介绍一下你住的地方四季的天气。
3. 你觉得你住的地方的居住环境怎么样？
4. 你住的地方的主要交通工具是什么？
5. 谈一谈你住的地方的交通网络。
6. 朋友要来你住的地方，你会带他 / 她到哪儿去玩儿？为什么？
7. 朋友要来你住的地方，你会带他 / 她到哪儿去吃东西？为什么？
8. 你住的地方有哪些风景名胜？
9. 谈谈你住的地方的文化和建筑。
10. 你的朋友来你住的地方购物，你会带他去哪里？为什么？
11. 你住的地方有哪些著名的购物街 / 商场？
12. 如果你的朋友想买名牌，你会带他 / 她去哪里买？为什么？

话题 2：旅游

1. 一年中你最喜欢哪个假期？
2. 你去过哪些国家旅游？
3. 说一下你的一次旅游经验。
4. 谈一个你喜欢去的地方。
5. 这个暑假你是怎么过的？
6. 上个寒假你是怎么过的？

7. 比较两个你曾经旅游的地方。
8. 谈谈你的假日生活。
9. 如果有朋友要从外国来你住的地方，你会建议他 / 她去哪儿玩儿？
10. 如果你有朋友要在八月来你住的地方一个星期，你会建议他 / 她怎么准备行李？
11. 在你去过的国家中，你最喜欢哪一个国家或城市？为什么？
12. 你最近去过哪个国家度假？你看了哪些风景名胜？你对这个国家的印象怎么样？
13. 你从旅游中看到了什么风土人情和文化？
14. 你去旅游的时候，通常住在什么地方？
15. 你喜欢住什么样的酒店？
16. 你选择的旅馆一般需要有什么设备？
17. 你去过什么地方旅游？是怎么去的？那里主要的交通工具是什么？你觉得方便吗？
18. 在你去过的国家里，你最喜欢哪一个？你觉得那里的旅游设施怎么样？

话题 3：居住环境

1. 你家住什么样的房子？有几个房间？
2. 你家客厅里有什么家具？
3. 你自己有一个房间还是和别人合住？请介绍一下你的房间。
4. 从你的房间里往外看，风景怎么样？
5. 你家周围的环境怎么样？你喜欢不喜欢？为什么？
6. 你家附近有什么公共设施？
7. 你家附近交通方不方便？从你家来学校可以坐什么车？
8. 从学校到你家该怎么走？
9. 学校的图书馆怎么走？
10. 你喜欢住在城市还是郊区？你觉得住在城市 / 郊区有什么好处 / 坏处？
11. 如果让你选择，你想住在什么样的地方？为什么？
12. 你家附近有什么样的商店？

13. 你经常到商店买什么东西？

14. 你经常去哪儿买东西？喜欢和谁去？

15. 最近你买了什么新衣服？花了多少钱？

16. 你在现在的家住多久了？喜欢吗？为什么？

17. 你认为你的社区的文娱康乐设施是否足够？哪些设施需要改善？

18. 你认为你的社区应该怎样改善环境卫生？

19. 你住的地方为居民提供了什么公共服务？这些服务做得好不好？

20. 你住的地方的主要交通工具是什么？

21. 你对你住的地方的交通情况有什么看法？

22. 你认为应该怎样改善你住的地方的交通情况？

23. 你住的地方的自然环境怎么样？

24. 在你住的地方一年四季适合做什么活动？

话题 4：环境问题

1. 你住的地方天气一般是怎样的？

2. 你最喜欢哪个季节？为什么？

3. 你今天有没有听过天气预报？今天天气怎么样？

4. 你有没有参加过环保活动，如种树、清洁海滩等？

5. 你居住的国家或地区在环保方面做得怎么样？采取了哪些措施？

6. 谈谈你对环境保护的认识。

7. 你住的地方经常有哪些自然灾害发生？

8. 人类在创造文明的同时给地球带来了什么负面的影响？

9. 太阳能可以为人类做哪些事？

10. 你认为市民应该怎样参与改善、保护环境？

11. 你认为学校应该怎样推行环保教育？

12. 全球暖化带给人类什么影响？如何改善？

13. 你们学校有哪些活动是用来帮助保护环境的？

14. 你认为我们应该怎样保护环境？

15. 你住的地方空气污染严重吗？你认为怎样可以改善这个问题？

练习题库

话题 1：节日和庆祝活动

1. 在中国有哪些重要的节日？
2. 介绍 1–2 个节日，说一说它们有些什么特色的食物。
3. 中国人最重要的节日是什么？怎么庆祝？
4. 过春节的时候，中国人会吃一些什么特别的食物？
5. 过春节的时候，中国人为什么要穿红色和金黄色的衣服？
6. 过春节的时候，中国人的见面问候语通常都有哪些？
7. 过春节的时候，中国人一般会有什么庆祝活动？
8. 你们家每年怎么过春节？
9. 在你住的地方人们会怎么庆祝圣诞节？
10. 你们家每年都会庆祝圣诞节吗？
11. 过圣诞节的时候，你的家人会吃一些什么特别的食物？
12. 传统的圣诞节衣服是什么颜色的？
13. 过圣诞节的时候，人们见面通常会说什么？
14. 过圣诞节的时候，人们一般会有什么庆祝活动？
15. 除了圣诞节，你还知道哪些西方节日？
16. 比较一下你知道的中国传统节日和西方传统节日的共同点和不同点。

话题 2：传统文化习俗

1. 谈谈中国人和西方人在饮食上有什么异同。
2. 谈谈中国人和西方人在家庭观念上有什么异同。
3. 谈谈中国人和西方人在日常交通工具上有什么异同。
4. 谈谈中国人和西方人在娱乐喜好上有什么异同。
5. 谈谈中国人和西方人在家庭教育上有什么异同。

6. 谈谈中国人和西方人在旅游习惯上有什么异同。

7. 说一下你知道的一个地方的风俗习惯。

8. 你住的地方有些什么特别的风俗习惯?

责任编辑　　郭　杨
书籍设计　　任媛媛
排　　版　　陈先英

书　　名　　**IGCSE 0523 写作与口语训练**（简体版）
IGCSE 0523 Writing and Speaking Skills (Simplified Character Version)
编　　著　　冯薇薇　齐媛
出　　版　　三联书店（香港）有限公司
香港北角英皇道 499 号北角工业大厦 20 楼
Joint Publishing (H.K.) Co., Ltd.
20/F., North Point Industrial Building,
499 King's Road, North Point, Hong Kong
香港发行　　香港联合书刊物流有限公司
香港新界大埔汀丽路 36 号 3 字楼
印　　刷　　美雅印刷制本有限公司
香港九龙观塘荣业街 6 号 4 楼 A 室
版　　次　　2018 年 11 月香港第一版第一次印刷
规　　格　　16 开（170×240 mm）256 面
国际书号　　ISBN 978-962-04-4366-4
© 2018 Joint Publishing (H.K.) Co., Ltd.
Published & Printed in Hong Kong
部分内文插图 © Pixabay
pp.30, 34（右）, 35（左）, 37, 38, 45（下四）, 46, 50, 53（右）, 55, 56, 57, 58（上二）, 66（下四）, 67（下四）, 188
部分内文插图 © 微图网
pp.40（左）, 41, 58（下四）, 61, 65（右）, 66（上四）, 67（上二）, 189（左）
封面图片、部分内文插图 © 壹图网
pp.35（右）, 53（左）, 64